D1506832

Cirque du Soleil [MD]

Réveiller la créativité

Traduit de l'anglais (Canada) par Jean-Marie Ménard

Créé par Lyn Heward
Écrit par John U. Bacon

Les Éditions
LOGIQUES

QUEBECOR MEDIA

Catalogage avant publication de Bibliothèque et Archives Canada

Heward, Lyn

   Réveiller la créativité

   Traduction de : The spark.

   ISBN 2-89381-969-9

   1. Créativité. 2. Actualisation de soi. I. Bacon, John U., 1964- . II. Titre.

BF408.H4814 2006   153.3'5   C2006-940399-6

Éditrice : Annie Tonneau
Traduction : Jean-Marie Ménard
Révision linguistique : Corinne De Vailly
Correction d'épreuves : Céline Bouchard
Conception de l'intérieur : Chris Welch
Mise en pages : Luc Jacques
Illustration de la couverture : Dominique Lemieux
Conception de la couverture : Rex Bonomelli
Graphisme de la couverture : Christian Campana
Photos des auteurs : Lyn Heward © Benoit Camirand et John U. Bacon © John Shultz

Remerciements

Les Éditions Logiques reconnaissent l'aide financière du gouvernement du Canada par l'entremise du Programme d'aide au développement de l'industrie de l'édition (PADIÉ) pour ses activités d'édition. Nous remercions la Société de développement des entreprises culturelles du Québec (SODEC) du soutien accordé à notre programme de publication. Gouvernement du Québec – Programme de crédit d'impôt pour l'édition de livres – gestion SODEC.

Tous droits de traduction et d'adaptation réservés ; toute reproduction d'un extrait quelconque de ce livre par quelque procédé que ce soit, et notamment par photocopie ou microfilm, est strictement interdite sans l'autorisation écrite de l'éditeur.

Publié et traduit avec l'autorisation de Currency Books/Doubleday, une division de Random House, Inc.

Titre original : Cirque du Soleil ® The Spark

Alegría, Corteo, Dralion, KÀ, KÀ CIRQUE DU SOLEIL, *La Nouba, Mystère,* « O », *Quidam, Saltimbanco, Varekai, Zumanity, Cirque du Soleil, Another Side of Cirque du Soleil, Une autre facette du Cirque du Soleil, le design des rayons* et le *logo soleil* sont des marques du Cirque du Soleil utilisées sous licence.
CIRQUE DU SOLEIL.[MD]

Les Éditions LOGIQUES
7, chemin Bates, Outremont (Québec) H2V 4V7
Téléphone : (514) 849-5259 Télécopieur : (514) 270-3515

© Cirque du Soleil, Inc., 2006
© 2006, Les Éditions Logiques inc., pour la traduction en langue française
© 2006, Les Éditions Logiques inc., pour l'édition française au Canada

Dépôt légal – Bibliothèque et Archives nationales du Québec, 2006
Bibliothèque nationale du Québec
Bibliothèque nationale du Canada
ISBN-10 : 2-89381-969-9
ISBN-13 : 978-2-89381-969-3

Avant-propos

par Guy Laliberté, fondateur et chef de la direction

éveiller la créativité n'est pas seulement une excursion rapide au cœur du mode de fonctionnement et des activités du Cirque du Soleil, c'est avant tout une rencontre intime avec ses employés, qui vivent chaque jour de façon créative. Et bien qu'il relate la découverte de soi d'un seul homme, *Réveiller la créativité* révèle une variété de moyens faciles par lesquels n'importe qui peut enrichir sa créativité, se découvrir de plus grandes possibilités et développer sa propre vision de l'avenir.

Avec plus de 3 000 employés permanents, dont des artistes, des artisans, des techniciens et des cadres un peu partout dans le monde, il aurait été impossible de reconnaître toutes les contributions créatives individuelles. Alors, plusieurs des personnages exceptionnels de ce livre sont en réalité des amalgames d'hommes et de femmes généreux, passionnés et talentueux, ayant partagé l'expérience du Cirque du Soleil. Mais les faits cités sont bien réels. Les énormes attentes et les rêves fantastiques de ces individus ont engendré d'extraordinaires produits créatifs. Ces gens-là ont appris à respecter leurs propres sens, à se fier à leur instinct, à courir des risques et à affronter de nouveaux défis dans un environnement artistique enrichissant. En travaillant seul ou ensemble, ils ont appris de nouvelles façons de communiquer et de toucher les gens tout en œuvrant à leur propre métamorphose. Et ils espèrent rendre aux autres ce qu'ils ont reçu, selon le mouvement perpétuel de changement, d'échange et de renouvellement. Ils sont de véritables catalyseurs.

D'une minuscule étincelle, un gigantesque brasier est né et ses flammes ont réchauffé le monde entier...

*À Guy et aux innombrables artistes, artisans, techniciens,
employés et cadres du Cirque du Soleil, qui vivent
chaque journée dans la créativité et dont l'exemple
m'a énormément inspirée.*

Lyn

chapitre 1

Derrière les portes blanches

Quand on n'a aucune idée
de ce que l'on cherche...

Quand on me demande où mon extraordinaire aventure a commencé, je réponds que c'était quelque part entre la première et la septième porte. Du moins, c'est là où je me suis retrouvé après m'être éloigné de la cacophonie du casino, de ses clignotements lumineux, de ses dés en folie et de ses multiples sources d'excitation. Bien sûr, j'étais fasciné par ce paradis de la chance, mais mes nerfs avaient besoin de repos après une telle surexposition à l'étourdissant tourbillon des roues de fortune.

Je cherchais quelque chose, mais quoi? Je n'en avais aucune idée. D'instinct, je savais qu'il me fallait quelque chose qui sorte de l'ordinaire, qui dépasse la banalité du monde du marketing et de l'argent, une autre motivation que celle qui m'avait conduit à Las Vegas. Et surtout, quelque chose pour m'entraîner très loin de mon train-train quotidien. Évidemment, quand on ne sait pas ce que l'on cherche, ce n'est pas facile de le trouver.

J'étais sur le point de me réfugier dans le calme de ma chambre d'hôtel quand j'ai aperçu deux hommes en vêtements de travail noirs. Ils s'éloignaient des machines à sous pour se diriger vers une section plus calme du casino. Sans savoir pourquoi, je les ai suivis comme un robot jusqu'à ce qu'ils disparaissent derrière une porte blanche. Rien n'indiquait où elle pouvait conduire.

Très intrigué, j'ai timidement poussé cette porte, qui s'est entrouverte sur un corridor tout blanc et parfaitement silencieux. Toutefois, une grande énergie s'en dégageait. J'ai osé avancer et, quelques mètres plus loin, je me suis retrouvé devant une deuxième porte, aussi impeccablement blanche et invitante que la première.

Si je me faisais surprendre après avoir franchi celle-là, je pourrais difficilement invoquer l'erreur ou l'inattention. Mais ma curiosité était telle que je n'ai pu m'empêcher de poursuivre mon exploration.

Derrière cette deuxième porte blanche s'en trouvait une troisième, identique. Je me demandais qui pouvaient donc bien être ces hommes aperçus plus tôt? Où allaient-ils? Que pourrais-je bien dire ou faire si je parvenais à les retrouver? Dans quel étrange conte de fées m'étais-je aventuré? Sitôt la porte suivante franchie, j'ai remarqué une caméra de surveillance au plafond et un poste de garde sur la gauche. Je sentis une forte tension qui irradiait mes épaules. Que fallait-il donc ainsi protéger? Devant l'absence de toute forme humaine autre que la mienne, je n'ai pu résister à l'envie d'aller plus loin.

Après avoir prudemment réussi à atteindre une cinquième, puis une sixième porte, je ne savais plus du tout où ce corridor allait me conduire. Sans comprendre pourquoi, j'avais aussi la certitude que, en se refermant, chacune des portes déjà franchies m'avait inévitablement rapproché de l'objet de ma quête. Enfin, en ouvrant la septième porte, j'ai compris que je venais non seulement d'atteindre l'extrémité de cet interminable corridor, mais surtout le début de ma véritable aventure. Cette septième porte donnait sur un immense théâtre où d'innombrables rangées de fauteuils bleus confortables s'alignaient sur la gauche. Le plafond s'élevait à une trentaine de mètres au-dessus de ma tête. J'ai alors eu envie de crier, pour que l'écho de ma voix me confirme que je ne rêvais pas, mais je me suis retenu.

Sur ma droite, j'ai vu la plus bizarre scène de spectacles qu'il m'avait été donné de voir, puis une structure mystérieuse et monolithique de quelque 12 mètres sur 25, une espèce de monstre qui défiait la gravité en se déplaçant à gauche, à droite, en haut, en bas, en avant, en arrière… Partout! Je me suis dit que cela ne pouvait faire partie de la grande scène, puisque seul un homme-araignée aurait pu évoluer sur un tel escarpement.

Tout à coup, de l'autre côté du théâtre, j'ai aperçu les hommes qui, à leur insu, m'avaient incité à franchir la succession de portes pour en arriver là. Ils manipulaient de l'équipement sous une colonne tournante en équilibre précaire au-dessus de la scène dont le plancher s'ouvrait sur ce qui semblait un gouffre insondable. Et même si ces ouvriers étaient à une vingtaine de mètres de moi, j'entendais clairement leur voix, l'acoustique de ce superbe théâtre étant tout simplement excellente. Bien plus, cette demi-douzaine d'ouvriers s'exprimait avec des accents divers : écossais, russe, texan et québécois.

Pas un ne semblait conscient de ma présence. Ils étaient très concentrés sur leur travail. Quant à moi, jamais je n'avais ressenti une telle curiosité depuis l'adolescence, alors que chacune de mes expériences était une nouvelle aventure et que je n'avais pas à me préoccuper des conséquences de mes actes. Mon esprit était en alerte, allumé par les possibilités qu'évoquait cet environnement hallucinant, et je me suis calé dans l'un de ces fauteuils moelleux, en plein centre du théâtre, pour m'en imprégner davantage.

Plus qu'une simple scène de spectacles, ce théâtre était davantage une immense volière entourée de passerelles de vieilles planches et de rampes en cuivre, constituant un contraste fascinant avec le style ultramoderne de l'hôtel MGM Grand. Ses rangées de balcons ouvragés lui conféraient une allure intemporelle qui donnait l'impression d'être dans un édifice dont la construction remontait à une époque antérieure à l'existence même de Las Vegas.

J'étais bien là depuis une dizaine ou une vingtaine de minutes, à regarder et à écouter, quand quelqu'un a enfin noté ma présence. Une charmante femme d'une cinquantaine d'années, l'air aimable, svelte, aux cheveux courts et roux, vêtue d'une élégante veste de suède, était sortie de nulle part et s'approchait entre les rangées. Même si je n'aurais pas dû me trouver là, ma présence a semblé l'intriguer plus que l'inquiéter.

En temps normal, je me serais empressé de m'excuser et de quitter les lieux, mais quelque chose me retenait.

– Bonjour! fit-elle en s'approchant.

– Bonjour! ai-je répondu, en faisant un léger signe de tête.

J'étais sûr qu'elle allait me demander de partir, mais au lieu de me chasser, elle m'a souri et m'a tendu la main en disant :

– Je m'appelle Diane.

– Moi, Frank!

Pour ne pas rompre le charme du lieu, elle s'est délicatement assise à ma droite. Était-elle parvenue dans cet univers parallèle en suivant le même chemin que moi?

– Impressionnant, n'est-ce pas? a-t-elle dit en faisant un large geste de la main.

– Je n'ai jamais rien vu de semblable.

– Pour moi, c'est vraiment un théâtre de rêves à assouvir et de vastes espoirs.

Je ne savais pas quoi répondre, alors j'ai dit : «C'est un lieu tellement tranquille, malgré son immensité.»

– Évidemment, a-t-elle enchaîné, cela peut être tellement calme et apaisant le jour, mais notez qu'il y a quand même une certaine effervescence dans l'air. Souvent, juste avant un spectacle, je ressens une énergie qui fait vibrer tout le théâtre, comme s'il était sur le point d'éclater.

Ce dernier mot à peine prononcé, une forte explosion a retenti et une boule de feu est apparue au-dessus du cratère central de la scène, puis un nuage de fumée a flotté dans l'air pendant quelques secondes avant de se dissiper. Venue de plus loin, une voix masculine criait :

– C'était rien qu'un essai, Diane!

– Quel est ce spectacle? ai-je demandé, me rendant compte qu'elle faisait sûrement partie de ce milieu-là, alors que moi, je n'étais qu'un intrus en train de se trahir.

Je n'avais plus qu'une seule envie, celle d'en savoir davantage.

C'est à ce moment-là que, en riant, Diane m'a demandé :

– Mais comment êtes-vous donc entré ici?

Avec un sourire gêné, j'ai refait mon trajet en pensée, tout en me disant que, non, ce n'était absolument pas un rêve. J'étais bien éveillé et parfaitement lucide.

Alors j'ai pointé les techniciens du doigt en disant : «Je voulais seulement m'échapper d'un séminaire en cours. Je marchais dans le casino quand j'ai aperçu ces hommes. Comme ils avaient tellement l'air de savoir où ils s'en allaient, plus que moi, j'ai eu envie de les suivre. Tout simplement.

– Eh bien, j'admire votre sens de l'aventure, a dit Diane, mais quel genre de travail a bien pu vous amener ici, à Las Vegas?

– Je suis un agent sportif, ai-je dit, presque en m'excusant.

– Cela ne semble pas tellement vous emballer, s'est-elle étonnée.

– Au début, ça me plaisait. Travailler avec les athlètes, «le talent» comme on dit dans le milieu, c'était emballant! Je voyageais régulièrement dans tout le pays pour évaluer des joueurs des ligues mineures ou locales à la recherche des futures vedettes, peut-être même de futurs membres du Temple de la renommée.

Et pour tenter de couper court à ma confession, j'ai soudain ajouté : «Cependant, en cours de route, mon travail a peu à peu cessé de m'emballer et a commencé à ressembler de plus en plus à un emploi très ordinaire. Un simple job quoi, et rien de plus!»

Ma propre candeur m'a surpris. J'étais incapable de comprendre comment j'avais pu révéler mes sentiments aussi facilement, et à une étrangère surtout. Je ne me reconnaissais plus, car pour gagner ma vie j'avais pris l'habitude de bien cacher mon jeu.

Avec un signe de tête qui semblait trahir une certaine compréhension, Diane m'a alors dit :

– C'est vrai, très peu de gens sont emballés par leur emploi, n'est-ce pas?

– Vous avez probablement raison… Je suppose que c'est le cas !

J'étais incapable de penser à une seule personne de mon entourage qui se montrait passionnée par son travail. Alors, sans doute pour changer de sujet, Diane m'a demandé :

– De quoi était-il question dans votre séminaire ?

– De marketing créatif, ai-je annoncé en citant le titre du séminaire. Mais, en réalité, on ne discutait pas tellement de ça. On essayait plutôt de trouver de plus en plus de moyens de gagner de l'argent en sollicitant des commandites prestigieuses.

Je me demandais depuis quand j'étais devenu aussi cynique à propos de mon travail. Je n'en avais aucune idée. D'ailleurs, jugeant qu'il était temps de réorienter cette conversation, j'ai demandé à Diane :

– Quel spectacle pouvez-vous bien présenter ici ? Selon moi, cela ressemble plutôt au plateau d'un film à la Indiana Jones.

– Êtes-vous sérieux, demanda Diane, vous ne savez vraiment pas de quel spectacle il s'agit ?

J'ai hoché la tête. Au lieu de paraître indignée, elle a accueilli ma réponse avec un sourire amusé. J'étais convaincu qu'elle se demandait encore qui était cet étranger qui avait réussi à déjouer leurs filets de sécurité et à s'installer au centre de leur théâtre en plein jour.

À ce moment-là, Diane a pris la peine de se retourner vers moi pour me dire :

– C'est un spectacle intitulé KÀ… Avez-vous déjà entendu parler du Cirque du Soleil ?

– Évidemment, ai-je dit en sentant que je commençais enfin à saisir l'inspiration sous-jacente à l'univers qui m'entourait. J'ai vu vos affiches publicitaires partout dans

Las Vegas, mais je dois avouer que je ne saisis pas tellement ce que vous faites ici.

– Eh bien, a dit Diane en tentant de relever le défi tout en se remémorant un laïus qu'elle avait perdu l'habitude de délivrer depuis quelques années déjà. Nous sommes une entreprise vouée au divertissement créatif. Nous élaborons des spectacles basés sur les rêves, les talents et les passions de nos artistes et créateurs, et ce, depuis nos débuts au Québec, en 1984. Le Cirque présente maintenant 11 spectacles (bientôt 12) partout dans le monde, dont 4 ici-même à Las Vegas.

– Si ce théâtre est le reflet de ce que vous faites sur scène, je suis pour ma part incapable d'imaginer à quoi ressemble votre spectacle. Y a-t-il aussi des clowns ?

Elle a ri, puis a ajouté :

– Bien sûr, tout cela et des clowns en plus. Écoutez, je ne peux pas tout vous expliquer en cinq minutes et je dois assister à plusieurs réunions aujourd'hui, alors voici ce que je vous propose. Vous pourriez peut-être assister à la première représentation du spectacle, ce soir à 19 h 30. Si vous me donnez votre carte de visite, je pourrai déposer un billet à la réception pour vous pour ce soir. Ainsi, vous pourrez voir le Cirque du Soleil de vos propres yeux.

– Merveilleux ! ai-je répondu en me levant et en lui tendant ma carte. J'apprécie énormément.

– Très bien, alors à ce soir, a-t-elle dit.

Après une bonne poignée de main et un dernier regard sur l'incroyable immensité de cet espace merveilleux, j'ai quitté les lieux avec un enthousiasme renouvelé.

Facile à trouver...

Puis j'ai rejoint mon séminaire, chargé d'énergie, mais avec autre chose en tête que le marketing créatif. Une autre présentation venait de débuter, mais mon esprit était encore rempli de ce que je venais de voir. Personne dans l'assemblée n'aurait pu soupçonner que, même si j'étais assis aux côtés des autres, en ayant l'air parfaitement attentif et pleinement absorbé par les propos des conférenciers, mes pensées n'avaient pas quitté le théâtre de KÀ et son ambiance.

À la fin du séminaire, plusieurs de mes collègues avaient décidé d'aller jouer une partie de golf alors que d'autres avaient choisi de prendre un bon repas au restaurant, ce qui m'avait valu bon nombre d'invitations, mais je les avais toutes poliment refusées. Ce qui n'était pas dans mes habitudes.

C'est sans doute pourquoi, avec un large sourire, mon meilleur ami Rick m'a dit :

– Ce n'est pas tes habitudes de refuser, Frank. Ça ne va pas ?

Je n'avais aucune envie de révéler mon secret, alors j'ai simplement répondu :

– J'ai un billet pour un bon spectacle, ce soir.

– Lequel ? s'est étonné Rick.

– Le Cirque du Soleil. Je pense que ça s'appelle *KÀ*.

– Oh ! il faut réserver ces spectacles-là des mois à l'avance, tu dois avoir un bon truc ?

– Comment je m'y suis pris ? Eh bien... Euh...

Je me questionnais : « Pourquoi Diane m'avait-elle offert ce billet ? Elle aurait pu me flanquer à la porte dès le départ. » Mais en apercevant les regards envieux de mes collègues, j'ai soudain compris à quel point le hasard m'avait favorisé en me permettant de trouver ces portes et de les franchir l'une après l'autre. Alors, j'ai risqué une dernière bravade en feignant la fierté et j'ai dit : « Les gars, quand on sait ce qu'on cherche, c'est très facile à trouver ! »

chapitre 2

L'invitation

KÀ

L'ambiance énigmatique du théâtre dans la pénombre, le crescendo musical, le kaléidoscope de l'éclairage, les mystérieux personnages tourbillonnant sur scène, tout cela avait monopolisé mes sens. Je n'avais plus conscience de l'endroit où je me trouvais, ni de ce que mes yeux percevaient. Je ne pouvais qu'absorber ce qui se passait autour de moi.

Tout voyage au fond de soi débute par la mise en application d'une technique d'introspection, mais il ne peut s'approfondir que si l'on se permet d'aller au-delà de la mécanique pour vivre le moment. Ainsi, une masseuse d'expérience peut vous détendre les muscles, mais si vous vous abandonnez à la magie de son toucher, elle peut vous transporter dans la grande plénitude d'une île enchantée.

En contrôlant le timbre de sa voix, un hypnotiseur peut vous confiner au niveau de votre subconscient, du moins jusqu'à ce que vous vous soyez tellement perdu dans les dédales de vos rêves que vous en oubliiez votre guide. Selon le même principe, un bon conteur peut inventer une histoire qui changera votre vie.

Sur scène se déroulait une véritable épopée. Il s'agissait des aventures d'un jeune prince et d'une princesse, des jumeaux séparés à l'enfance ne sachant pas si l'autre était toujours vivant. L'une des scènes se déroulait à bord d'un vaisseau royal sur le point de couler. La jeune princesse était projetée par-dessus bord à la suite d'une attaque qui avait coûté la vie à la plupart des membres de sa famille.

J'observais la descente silencieuse et solitaire de cette jeune fille dans les eaux d'une mer céruléenne magnifiquement évoquée par le décor, et j'oubliai la façon dont j'étais parvenu à cet endroit – le séminaire du congrès, les sept portes, l'étonnante générosité de Diane qui, à peine quelques secondes avant le début de la représentation, avait pris place à mes côtés dans le théâtre de KÀ. Je regardais, écoutais et ressentais tout ce qui se passait sous mes yeux.

Le rideau translucide drapé devant la scène et le saut en vrille de l'acrobate me donnaient l'indéniable impression de voir vraiment la princesse en train de plonger dans les profondeurs de l'océan. Et pendant qu'elle descendait en culbutant, mes pensées, elles, étaient ailleurs. Elles descendaient aussi vers Mike, mon meilleur ami, qui avait perdu la vie dans un accident de la route l'année précédente.

Au collège, Mike et moi étions coéquipiers dans l'équipe de natation. Je me rappelle nos rencontres, très tôt le matin, avant l'entraînement, pour effectuer quelques longueurs de plus. Quand je pense à la difficulté que j'ai maintenant à me tirer du lit le matin, j'ai peine à croire que je suis ce même individu qui accueillait ces exercices matinaux avec tant d'enthousiasme autrefois. Mike avait certainement beaucoup à voir là-dedans. Jamais je n'ai connu personne qui désirait autant gagner que lui. C'est vrai, il est parfois plus facile de se décevoir soi-même que de décevoir un coéquipier.

Quand j'ai appris sa mort, l'envie de quitter mon emploi s'est emparé de moi. Mike disait toujours que la vie était trop courte pour s'accrocher à quelque chose qui ne nous passionnait plus. Toutefois, je n'ai pas eu le courage de suivre ce principe. Que serait-il arrivé si je n'avais pu trouver un autre emploi? Comment oublier les factures à payer, l'hypothèque, etc.? Alors, après avoir tenté de consoler la veuve de Mike, j'ai repris le chemin du bureau dès le lendemain matin.

Je n'aurais jamais pensé que KÀ puisse avoir été conçu pour évoquer ce genre de souvenirs mais, bizarrement, c'était l'effet que cela me faisait. Chaque scène évoquait en moi un souvenir ou un sentiment. Était-il possible que les autres spectateurs réagissent autrement?

Quand, à la fin, le prince et la princesse se sont retrouvés côte à côte sur scène, au milieu de tous les artistes, la foule a répondu à mes interrogations en se levant pour une longue ovation. Et, bien entendu, je me suis laissé porter par la vague.

Les lumières se sont rallumées. J'ai consulté le programme que Diane m'avait remis. J'ai ainsi pu constater que pas une seule vedette de ce merveilleux spectacle n'y était nommée individuellement. Aucun nom ne prenait le dessus sur les autres. Je venais de voir des artistes exécutant des prouesses que la plupart de mes clients, tous des athlètes vedettes et des professionnels de très haut niveau, n'auraient jamais osé tenter, pas même pour une commandite de plusieurs millions de dollars proposée par un fabricant de boissons sportives.

– Vous avez aimé? me demanda Diane en souriant.

Je me suis retourné pour lui répondre, mais j'ai compris que les mots n'étaient pas nécessaires.

Je me suis levé de mon siège tout ragaillardi. J'avais été ébloui par ces artistes effectuant des manœuvres risquées en plein vol, avec une maîtrise tout aussi incroyable.

Non seulement avaient-ils atteint leurs objectifs, mais ils avaient utilisé leur corps pour donner forme à l'histoire, susciter des idées sans utiliser d'artifices et soulever les émotions des spectateurs.

Plus tôt, dans la journée, en voyant les acrobates escalader une plate-forme quasi verticale, j'avais jeté un coup d'œil sur le petit bedon qui avait enveloppé ma taille au cours des années, résultat d'excès de dîners gastronomiques pour amadouer les clients, et d'innombrables repas rapides avalés au cours de soirées passées au bureau. Je me rappelais comment, pour conclure mes premiers contrats au nom de notre compagnie de marketing, j'avais l'habitude de discuter d'expériences athlétiques personnelles, évidemment limitées, avec mes clients éventuels. Alors que, maintenant, mes conversations d'affaires tournaient plutôt autour d'un seul sujet... l'argent!

Pourtant, en dépit d'une grande timidité naturelle, j'étais devenu plus conscient de mes possibilités. Ces artistes pouvaient s'imposer des contorsions physiques incroyables et se lancer dans le vide à partir de hauteurs effrayantes. Ils avaient ainsi ranimé en moi l'étincelle de quelque chose que je n'avais pas ressenti depuis bien des années. De quoi serais-je donc encore capable dans ma vie?

– Aimeriez-vous venir en coulisse ? m'a demandé Diane, alors qu'on s'apprêtait à quitter le théâtre.

J'ai hésité. Le spectacle m'avait plongé dans un tel état que j'avais peur que cette magie ne s'évanouisse en constatant que le Magicien d'Oz n'était qu'un petit gars ordinaire muni d'un porte-voix. Mais je me suis vite ressaisi en me rappelant que si je m'étais rendu jusque-là, c'était parce que j'avais préféré me fier à mes instincts plutôt qu'à mon bon sens. Alors, je me suis exclamé :

– Bien sûr, allons-y !

L'importance des « mauvaises » portes

Nous avons échappé à la foule qui déambulait lentement vers la sortie en empruntant une porte de côté. Après avoir suivi le corridor découvert plus tôt, puis passé un tableau effaçable rempli de notes apparemment destinées aux artistes, nous avons gravi des marches, puis pénétré dans un salon où les interprètes, encore maquillés et costumés, se félicitaient, s'étreignaient, criaient et fêtaient leur succès à pleins poumons !

Jamais je n'aurais pu douter qu'après l'apparente perfection de l'extraordinaire représentation dont je venais d'être témoin, ces artisans soient satisfaits de leur succès, mais le fait de les voir se réjouir ainsi m'a rappelé que tout le monde peut connaître de bonnes et de mauvaises soirées. Ainsi, même les artistes les plus chevronnés doivent parfois risquer le tout pour le tout. Dans ce spectacle, certains avaient beaucoup risqué en faisant des sauts de 10 mètres d'un mât à un autre, n'ayant que la force de leurs cuisses pour éviter une chute d'une hauteur équivalant à 6 étages.

Par moments, les artistes disparaissaient de la vue du public comme s'ils tombaient dans le vide une fois parvenus au bout de la Terre. Maintenant que j'avais retrouvé la parole, mes questions commençaient à faire surface.

– Diane, où se retrouvent-ils lorsqu'ils tombent en bas de la scène?

– Ils atterrissent sur un énorme matelas de réception gonflable placé juste sous la plate-forme tournante, expliqua Diane. Une chute de 20 mètres que je ne recommanderais à personne sans un certain entraînement.

À la vue de Diane, les artistes se sont précipités vers elle, ce qui m'a convaincu de sa forte influence dans cet univers.

L'artiste qui personnifiait le « garçon luciole », celui qui avait sauvé la princesse dans sa chute, a chaleureusement serré Diane dans ses bras.

– Slava! s'est-elle exclamée, c'était fantastique!

Mais Slava était déjà parti, rapidement tiré vers l'arrière par ses camarades en délire.

Alors Diane m'a dit :

– Slava est de la quatrième génération d'une célèbre famille d'artistes de cirque de Moscou. Le spectacle est souvent une tradition familiale en Russie.

Une autre étreinte de la part d'un acrobate asiatique et Diane s'est écriée :

– Henri! ajoutant à mon intention : Henri était un adolescent de 19 ans tout ce qu'il y a de plus normal, d'Edmonton, en Alberta, avant de s'inscrire à l'École nationale de cirque de Montréal. Il n'avait aucune expérience en acrobatie, mais il était déterminé à réussir. Vous seriez surpris du grand nombre de cas semblables au sien. D'ailleurs, la plupart de ceux et celles qui rejoignent le

Cirque sont des gens normaux qui ont simplement envie de quelque chose de mieux.

Je fus également surpris de croiser en coulisse autant de personnes qui, de toute évidence, n'étaient pas sur scène. Deux hommes du groupe, portant des vêtements de travail dont l'étrangeté tranchait nettement sur le costume cramoisi et noir et le visage peint de couleurs vives des archers de type samouraï, se sont approchés de Diane et l'ont tendrement serrée, après quoi elle me les a présentés.

Il y avait Ian, un costaud chauve, qui portait un bloc-notes à la main, et Rick, un athlète au corps svelte vêtu d'un jean avec émetteur-récepteur suspendu à la ceinture et des bottes de travail.

– Alors, que s'est-il passé ? a interrogé Diane.

Je n'avais aucune idée de ce dont elle parlait. En roulant des yeux, Ian lui a répondu :

– As-tu vraiment envie de le savoir ?

– Probablement pas, a-t-elle dit. Mais de toute façon, vous avez vite réglé la situation. Je dirais même que l'auditoire ne s'est jamais rendu compte de ce qui n'allait pas.

– Écoute Diane, a repris Ian, il faut que je te le dise quand même. On était à moins de cinq minutes de la décision d'annuler le spectacle. Les élévateurs de scène ne fonctionnaient plus.

– Tu as raison, répliqua Diane, tu n'aurais jamais dû me le dire. Au moins, ta liste de vérification t'a bien servi. Ton protocole est bien plus serré maintenant que l'automne dernier.

– En effet, reconnut Ian. Nous n'aurions jamais pu déceler un problème comme celui-là aussi vite il y a quelques mois.

– Alors, qu'est-ce que c'était? reprit Diane.

À ce moment-là, Rick s'est empressé de répondre :

– Un problème technique. Les ordinateurs indiquaient une absence totale de pression hydraulique dans les élévateurs. Quand ces appareils-là reçoivent un signal semblable, que ce soit vrai ou faux, ils ne bougent pas. À ce moment-là, tous les membres de l'équipe se sont vite remis à contrôler chaque point de la liste de vérification et on a réussi à trouver le problème en quelques minutes seulement. En réalité, je devrais dire que c'est Ian, notre champion de l'automatisation, qui l'a trouvé.

Puis, avec une tape dans le dos d'Ian, Rick a ajouté :

– Il y a quelques mois, on aurait essayé de corriger tout le système hydraulique et pas seulement les ordinateurs qui commandent son fonctionnement.

Alors, en se tournant vers moi, Rick a expliqué :

– Le secret, c'est de ne pas tenter de régler le problème avant d'avoir découvert de quoi il s'agit.

Et comme pour en remettre, Ian m'a demandé :

– Connaissez-vous la définition d'un bon spectacle?

Incapable de répondre, j'ai simplement haussé les épaules et il a dit :

– Un bon spectacle, c'est celui dans lequel il n'y a que nous qui savons ce qui ne va pas!

– Eh bien, a conclu Diane, vous avez accompli un travail remarquable.

Ensuite, elle s'est retournée vers le groupe et s'est écriée : Félicitations tout le monde! Un succès derrière nous et un millier d'autres à venir!

Et, avant que la troupe enthousiaste n'ait terminé de crier son approbation, Diane avait déjà entrepris de me raccompagner au casino en repassant par le long corridor blanc.

Avant qu'elle ne me quitte, j'avais une dernière question :

– Diane, dites-moi, pourquoi vous m'avez invité à votre spectacle de ce soir ? Après tout, je ne suis qu'un simple individu qui s'est témérairement aventuré derrière une «mauvaise» porte. Sans compter que vous ne devez pas inviter des étrangers en coulisse très souvent.

Elle a réfléchi pendant quelques instants, puis elle a répondu :

– Vous avez raison. Je ne le fais jamais. Je suppose que j'ai perçu quelque chose de particulier en vous. Vous savez, je crois à l'importance des «mauvaises» portes, des découvertes heureuses et inattendues. Jamais je n'aurais pu croire que vous vous êtes retrouvé sur mon chemin par hasard, sans une bonne raison. Quand on s'est parlé, cet après-midi, vous avez dit qu'au début de votre carrière vous aviez eu l'impression d'avoir choisi une vocation, mais qu'avec le temps, c'était peu à peu devenu un simple job. Très peu de gens croient que leur profession est une vocation, et encore moins peuvent dire à quel moment ils ont cessé d'avoir cette impression. Dites-moi, quelle différence avez-vous constatée entre votre travail et ce que vous venez de voir ?

– Mes occupations professionnelles n'ont aucun rapport avec ce que j'ai vu ici ce soir. Je travaille derrière un bureau, même si je côtoie les athlètes les plus célèbres du monde. Je passe la plupart de mon temps au téléphone, à négocier des contrats avec des entreprises multinationales. Je ne porte pas un costume bizarre pour aller divertir des milliers de spectateurs. Je porte un simple complet, en tout temps !

Elle a ri un peu, avant de poursuivre :

– Nos avocats aussi négocient des contrats, et notre personnel en marketing traite avec les mêmes gigantesques entreprises que vous. Mais ils ne procèdent probablement pas de la même manière que vous. Ici, tout le monde agit un peu différemment des autres et, peu importe son rôle, chacun reste branché sur notre seul et unique produit final, les spectacles. On ne fait pas fonctionner de lignes de montage, ni travailler des individus isolés derrière des cloisons. Tous les employés participent à ce qu'on fait sur scène. C'est la raison pour laquelle vous avez vu autant de monde en coulisse ce soir. J'ai pensé qu'en vous invitant, cela vous aiderait à vous souvenir de votre vocation, de ce que vous avez vraiment été, avant d'enfiler votre complet-cravate.

Instinctivement, je me suis penché pour examiner ma tenue vestimentaire. Diane a souri. Elle avait certainement utilisé cette métaphore intentionnellement. Avant même que je puisse lui répondre, elle s'est empressée de lancer :

– Frank, je dois rencontrer encore bien des gens ce soir, mais j'aimerais que nous demeurions en contact. Voici ma carte. Si jamais vous passez par Montréal, donnez-moi un coup de fil. Je serais tellement heureuse de savoir si vous avez ou non retrouvé votre passion. Parce que… en somme, c'est aussi ce qui anime le Cirque du Soleil.

Tandis qu'elle s'éloignait, je me suis empressé de lire sa carte de visite. Il était écrit :
Diane McKee
Présidente-directrice générale
Division Contenu créatif
Cirque du Soleil

chapitre 3

L'audition

Bienvenue au Cirque du Soleil

Avec mon retour à Chicago, j'ai cru que l'envoûtement engendré par le Cirque du Soleil allait s'atténuer graduellement, tout comme mes résolutions répétitives de retrouver ma forme se dissipaient dès que mes yeux apercevaient une généreuse portion de gâteau au chocolat. Alors, j'ai décidé d'attendre que l'inspiration découverte à Las Vegas s'estompe pour que ma vie reprenne son rythme quotidien.

Le premier jour a passé, puis le suivant, et pourtant, mon emballement ne semblait pas vouloir diminuer. Après une semaine, puis une deuxième et bien d'autres, j'en suis venu à la conclusion que le feu engendré par le Cirque n'allait pas s'éteindre aussi facilement que je l'avais cru.

C'est dans cet état d'esprit qu'un jour je me suis mis à fouiller dans mes courriels, puis dans les dossiers sur mon bureau, cherchant une raison plausible pour justifier un voyage à Montréal, et j'ai trouvé exactement ce qu'il me fallait. Cari Schultz, une gymnaste de niveau collégial que notre entreprise représentait, avait récemment sollicité une audition en vue de se joindre au Cirque du Soleil.

Normalement, ce type de cliente aurait été référé à l'un de nos collègues moins expérimentés, les associés de mon échelon ne représentant que des athlètes professionnels à revenus élevés des ligues majeures de football, de baseball et de basketball. Mais depuis longtemps, j'avais perdu toute envie de me limiter à l'habituel. Pour la première fois, j'ai commencé à apprécier les occasions que pouvait m'offrir ma position. J'ai retrouvé la carte de visite de Diane sur mon bureau, j'ai soulevé le combiné et je me suis hâté de composer son numéro, de peur d'être tenté de remettre ma démarche en cause.

À ma grande surprise, elle a elle-même répondu. Elle se souvint immédiatement de moi et me demanda quand j'allais venir lui rendre visite.

«La semaine prochaine», ai-je répondu précipitamment, pour parler aussitôt de l'audition de Cari Schultz. Quand j'ai raccroché, je savais que j'avais pris la bonne décision.

Je n'avais jamais rencontré Cari auparavant, mais cette gymnaste m'avait déjà impressionné lorsque notre avion a amorcé son décollage à l'aéroport O'Hare de Chicago. Jolie, petite, mais d'une solidité athlétique, elle me rappelait l'ex-championne olympique américaine Mary Lou Retton. J'ai vite compris qu'elle se posait autant de questions que moi au sujet du Cirque du Soleil.

– Vous comprenez, je ne suis même pas championne de la ligue «Big Ten», et encore moins gagnante d'une médaille olympique, me confia-t-elle pendant que notre avion atteignait son altitude de croisière. Et le Cirque

n'accepte que des athlètes de calibre international; alors
pourquoi voudrait-on de quelqu'un comme moi?

– Ils ont besoin d'artistes de talent, ai-je dit en me
rappelant ma rencontre avec Diane, mais je présume que
le talent ne leur suffit pas, ils ont même refusé quelques
champions olympiques au cours des ans. Ce n'est pas
seulement la façon dont vous pouvez sauter par-dessus
le cheval-sautoir ou évoluer aux barres asymétriques qui
compte.

– Alors que veulent-ils?

– Je ne pourrais pas le dire exactement, mais je sais déjà
qu'ils apprécient le fait que tu puisses participer à toutes
les épreuves – la polyvalence a beaucoup d'importance
pour eux – et que tu sois capitaine de ton équipe. Leurs
artistes doivent travailler ensemble pendant des années,
le travail d'équipe est donc prioritaire. Et je suis certain
qu'ils ont déjà apprécié ta personnalité lors de ton entrevue
téléphonique.

– Ça alors! s'exclama-t-elle, c'était la plus bizarre
entrevue du semestre. Ils m'ont demandé de parler du
moment le plus embarrassant que j'aie jamais vécu.

Puis, ma curiosité ayant été piquée, je lui ai
demandé :

– Que leur as-tu répondu?

Elle a ri et m'a confié :

– Le jour où, au cours d'une compétition, mon justau-
corps s'est déchiré de bas en haut jusque sous l'aisselle. Les
spectateurs n'ont rien vu, mais tout le monde me regardait
lorsque j'ai terminé mon exercice.

– Et qu'as-tu fait?

– Que peut-on faire dans un tel cas? a-t-elle demandé.
J'ai fait un atterrissage parfait, j'ai levé triomphalement
les bras et j'ai déployé mon plus large sourire. La foule

a adoré ça et les juges m'ont attribué les plus hautes notes de toute ma carrière. Ah oui ! Le dépisteur acrobatique du Cirque a aussi aimé ça. Elle m'a dit que chaque incident était une invitation déguisée à manifester de la créativité.

Nous avons ri tous les deux, puis je lui ai dit :

– Il n'est pas trop difficile de deviner ce qu'ils ont aimé en toi. Honnêtement, je n'ai vu qu'un seul spectacle du Cirque jusqu'à maintenant, mais je peux dire que les acrobates, s'ils sont époustouflants, sont aussi des artistes, pas des compétiteurs. Et la passion et la ténacité peuvent mener très très loin.

– Je l'espère, soupira-t-elle en regardant le paysage enneigé du Canada à travers le hublot. J'ai déjà accepté le fait que je n'irai jamais aux Jeux olympiques, mais j'ai maintenant une excellente occasion d'utiliser mon entraînement à des fins entièrement différentes.

Bien qu'en avril, sous un ciel sans nuages et un soleil radieux, la fraîcheur des quelque moins six degrés de la température nous a saisis dès la sortie de l'aéroport. Pendant que nous roulions en taxi vers le siège social international du Cirque, dans le nord-est de la ville de Montréal, j'ai vu au bord de la route des amas de neige d'une hauteur à lancer un planchiste amateur. Et bientôt nous entrions dans un vaste complexe à l'entrée ornée d'une sculpture en forme d'énorme soulier de clown. La cour centrale était occupée par un gigantesque cube d'aluminium brillant.

Après avoir franchi les portes vitrées de l'édifice principal, j'ai aperçu Diane, au poste de sécurité, qui portait sa fameuse veste en suède.

– Bonjour Frank et Cari, dit-elle en ouvrant largement les bras. Bienvenue au Cirque du Soleil !

Elle a présenté une jeune femme qui se tenait à ses côtés :

– Voici Marie. C'est elle qui va accompagner Cari pour la procédure d'enregistrement.

Puis, s'adressant directement à Cari, elle a ajouté :

– Vous allez demeurer dans la résidence des artistes, de l'autre côté de la rue. Et nous, fit-elle en se tournant vers moi, nous allons faire une tournée des lieux ! Mais d'abord, vous avez tous deux besoin d'un laisser-passer de visiteur.

Cari et moi avons été dirigés vers un comptoir brillant comme un stand sur une plage ensoleillée pour être photographiés.

– Mettez vos pieds dans les traces de pas sur le sol, comme au bureau des permis de conduire, a dit le photographe.

En vérifiant si mes pieds étaient au bon endroit, j'ai constaté que les traces étaient celles des souliers d'un clown, d'énormes pieds et de petits talons étroits. Je n'ai pu m'empêcher de sourire.

Sitôt la prise des photos terminée, j'ai souhaité bonne chance à Cari, comme je l'avais déjà fait pour tant de clients. Mais lorsqu'elle m'a souri en retour, j'ai compris que, cette fois, c'était vrai.

La raison d'être de notre travail

– Nous avons établi le siège social international ici en 1997, a commencé Diane dès le hall d'entrée. Nous étions d'abord installés dans de vieux ateliers de réparation de locomotives dans le bas de la ville, mais nous avions besoin de plus d'espace. Alors nous avons construit ce complexe avec l'idée que nous ne pourrions pas y être à l'étroit avant au moins une bonne décennie, mais nous manquions déjà de place au bout de trois ans. Nous avons alors doublé notre espace en construisant une structure attenante et, deux ans plus tard, nous étions encore à l'étroit.

Nous sommes passés près de quelques tables en acier inoxydable autour desquelles des gens discutaient allègrement, en prenant du café et des croissants. Tout le monde semblait s'exprimer avec vigueur, en riant. Plusieurs faisaient des croquis sur de grandes feuilles ou prenaient des notes dans un carnet.

– Ç'a l'air d'un endroit très amical! ai-je remarqué.

– Très amical, répondit Diane. Oh! pas toujours, évidemment… mais la plupart du temps. Les humains étant ce qu'ils sont, nous avons aussi nos bons et nos moins bons moments. Quand on s'entend bien, on est plus à l'aise et on se sent plus libre d'exprimer nos idées et nos émotions. La créativité est moins facile dans l'isolement. La vraie créativité a toujours besoin de collaboration, mais parfois aussi de conflits et de confrontations.

Diane m'a conduit ensuite le long d'un corridor inondé de soleil et bordé, d'un côté, d'une rangée de larges fenêtres. De l'autre, j'ai découvert de grandes affiches portant des noms à consonance étrangère, tels que *Quidam*, *Saltimbanco*, ou *Varekai*, mais dont j'étais incapable d'identifier la langue d'origine. Sur ces posters, des scènes bizarres, saisissantes : un homme sans tête portant un parapluie, une drôle de femme avec maquillage de cirque rigolo et un homme dégingandé qui semblait s'échapper d'une plante quelconque, du moins jusqu'à ce que je me rende compte que la plante en question était son pantalon.

En constatant que mon regard s'éternisait sur les affiches, Diane m'a dit :

– Vous verrez des affiches de nos spectacles partout dans le bâtiment. Il est important de rappeler aux gens que, peu importe leur emploi au Cirque du Soleil, qu'ils soient comptables ou acrobates, ces spectacles sont la raison d'être de leur travail. Cela permet de maintenir la motivation.

Ne jamais perdre de vue la raison d'être de votre travail, j'étais convaincu que cet idéal-là ne pouvait être que bénéfique, peu importe l'entreprise. Je tentais de me rappeler la dernière fois où j'avais assisté à un match disputé par l'une ou l'autre des vedettes sportives dont j'étais responsable, ou, plus révélateur encore, quand j'y avais accompagné l'un de mes adjoints. Je fus désemparé par la réponse : c'était il y a des années déjà.

Nous avons emprunté un ascenseur pour monter deux étages plus haut, puis avons déambulé dans un autre corridor. Une demi-douzaine de photos encadrées s'étalaient sur le mur. Mon regard a été attiré par celle, sur papier glacé, d'un homme en complet-cravate, avec un sourire stupéfait, qui continuait à lire un journal pendant que ses vêtements flambaient.

– Ici, ce sont nos clowns, m'a expliqué Diane. Le gros bébé que vous voyez là jouait dans *Mystère*, notre premier spectacle fixe à Las Vegas. L'enfant à l'air loufoque, c'est le clown de *Saltimbanco*, qui tourne maintenant en Europe, et l'homme en feu se trouve dans « O », un autre spectacle à Vegas. En passant, c'est vraiment du feu. L'homme devait traverser la scène en moins de 90 secondes pour éviter de se brûler. Je ne l'ai jamais vu pris de panique ou en train de courir.

Nous sommes ensuite passés devant une série de salles de réunion portant toutes un nom de spectacle : *La Nouba*, *Nouvelle Expérience* et *Zumanity*. Quelques-uns de ces locaux surplombaient de grands studios de répétition, qui devaient bien faire six étages de haut. Il n'y avait ni fenêtre givrée ni porte métallique pour empêcher la lumière de pénétrer ou pour éviter de voir à l'extérieur. C'était une ambiance ouverte et invitante. Puis, en passant devant certains bureaux, je pouvais entendre de nombreuses discussions animées ponctuées d'éclats de rire occasionnels.

– Alors, m'a dit Diane, nous allons maintenant nous installer dans la salle *Quidam*.

Je me suis assis dans l'un des huit fauteuils capitonnés permettant de regarder par une fenêtre. J'ai fait un bond vers l'arrière en apercevant quelqu'un de l'autre côté de la fenêtre, vision d'une personne aussitôt disparue. Un instant plus tard, quand l'artiste a rebondi dans le cadre de la même fenêtre, j'ai compris que ce n'était pas une hallucination.

Diane m'a expliqué que des artistes étaient en train de répéter en vue d'un nouveau spectacle dans le studio voisin. J'ai quitté mon fauteuil pour me coller le nez contre la fenêtre pour mieux voir. Comme un enfant dans un lave-auto.

Le quartier général du Cirque du Soleil avait l'air d'un terrain de jeux fantastique. C'était comme de regarder le monde avec les yeux d'un enfant. Dans le grand studio d'entraînement que je surplombais, quelques-uns des artistes virevoltaient, retenus par des bandes élastiques reliées à leurs hanches. Bondissant jusqu'à 10 ou 15 mètres du sol, ils tournoyaient, culbutaient et s'orientaient dans tous les sens, puis s'agrippaient à des trapèzes accrochés au plafond avant de se relancer en duo ou en trio dans une unisson parfaite.

– Je regrette d'interrompre votre rêverie Frank, mais nous devons revoir le contrat de Cari, m'a alors lancé

Diane, en désignant des papiers sur la table. Si c'est trop distrayant, je peux baisser les stores !

– Non, non ! ai-je protesté en retournant à mon siège sans quitter la fenêtre du regard.

– Je vais vous confier un secret, fit-elle, d'un ton conspirateur, c'est toujours ici qu'on tient nos réunions dans les cas de négociations difficiles. Aussitôt que des représentants d'une compagnie de téléphone, d'un fabricant d'ordinateurs ou d'une firme comptable, par exemple, voient ce que nous faisons, ils éprouvent une envie irrésistible de se joindre à nous.

Je pouvais très bien comprendre qu'on ait envie de joindre une telle équipe. Quelle manière nouvelle et rafraîchissante de chercher à convaincre un partenaire potentiel ! Utiliser cette sorte d'approche créative pour charmer les clients de notre agence serait probablement plus efficace que notre vieux discours usé à propos de qualité, de réputation et d'intégrité.

– Non pas que le contrat de Cari soit compliqué, poursuivit Diane en souriant. À ce stade, l'affaire est simple. Si Cari réussit l'audition, elle passera de 12 à 16 semaines ici dans le cadre de notre programme de formation générale. On y évaluera ses aptitudes physiques, sa polyvalence, son énergie et son ouverture d'esprit. Son travail sera rétribué par une somme hebdomadaire fixe. Si cela se déroule bien, on pourrait lui offrir une place dans un de nos spectacles. À partir de ce moment-là, on parlera d'un autre contrat, à long terme cette fois.

À entendre Diane décrire le processus, j'avais des papillons dans le ventre. J'étais aussi nerveux devant le sort de Cari que je l'avais été dans ma jeunesse pour obtenir une place au sein de l'équipe de natation de compétition

du collège. L'excitation liée à mon emploi recommençait
à m'envahir... peu à peu !

Sitôt l'affaire en cours terminée, Diane m'a proposé :

– Et si l'on descendait pour voir les choses de plus près ?

La passion est au cœur de tout ce que nous faisons

En descendant l'escalier, j'ai noté que presque tout, que
ce soient les escaliers, les passerelles, les corridors et même
les bureaux, était disposé selon des angles différents, créant
une espèce d'illusion dimensionnelle semblable à celle de
la chocolaterie de Willy Wonka. Dans les aires communes,
les plafonds trônaient à une hauteur de quelque 15 mètres,
par-dessus un enchevêtrement de fils, de câbles de sus-
pension et de tubes métalliques. De nombreuses œuvres
d'art, peintures, sculptures et autres, ornaient à peu près
toutes les surfaces planes. L'effet général était futuriste et
envoûtant, comme l'avenir devrait l'être d'ailleurs. Et si,
comme certains le disent, l'environnement peut stimuler
le génie créateur d'un individu, l'ambiance du Cirque peut
certainement projeter l'énergie créatrice de ses employés
jusque dans les plus hautes sphères.

Durant notre promenade vers le rez-de-chaussée, il m'a
semblé que de nombreuses personnes connaissaient Diane.
Elle s'arrêtait souvent pour échanger quelques mots ou
prendre de leurs nouvelles, tout comme elle l'avait fait avec
les artistes dans les coulisses du théâtre de Las Vegas. Elle a
ainsi demandé à un homme de faire parvenir le concept du
programme souvenir à son bureau. Elle a félicité une grande
femme, prénommée Birgit, originaire d'Allemagne, pour
la naissance de son enfant. En poursuivant notre balade,
elle m'a expliqué : «Birgit s'apprête à rejoindre l'équipe
de son spectacle, dans lequel elle fait un numéro de mâts

chinois. Après son congé de maternité, elle a accepté de faire un peu d'entraînement pour nous donner un coup de main, mais je crois qu'elle va remonter sur ses mâts d'ici un mois. »

Ensuite, Diane a réconforté un directeur de la création stressé en l'assurant que les membres de son équipe réussiraient à présenter leur spectacle à la date prévue, et dans les limites du budget alloué, à la condition qu'ils persévèrent.

De tels propos sont venus me rappeler que cette entreprise n'était pas un terrain de jeu, mais une solide structure à but lucratif, aux prises avec les mêmes soucis financiers et de production que toutes les entreprises de haut niveau.

D'un ton blagueur, j'ai alors dit à Diane :

– Des budgets, des échéances... Je n'aurais jamais cru que les règles normales étaient en vigueur ici... Incluant la loi de la gravité.

– Oui, Monsieur ! Nous avons des budgets et des échéances, fit-elle. Sinon, il serait impossible d'être aussi créatifs que nous le sommes. C'est ce qui nous oblige à inventer des solutions qui ne nous effleureraient jamais l'esprit autrement. Les restrictions sur le plan du temps, de l'argent et des ressources constituent une incroyable motivation. Nous avons pondu bon nombre de nos meilleures idées dans les moments difficiles.

Une évidence m'a sauté aux yeux : même s'ils s'habillent de façon décontractée, les employés du Cirque travaillent fort. Et quand j'ai mentionné ce fait à Diane, elle m'a assuré :

– Eh oui ! Vous avez pu constater que toute l'équipe travaille très fort, pas seulement les artistes, mais tout le monde. Julia, une avocate de notre service juridique, a dit

qu'elle consacrait plus d'heures au Cirque qu'elle n'avait eu
à le faire dans un cabinet d'avocats prestigieux reconnu pour
ses exigences exténuantes. Et cela, non pas parce qu'on l'y
oblige, mais parce qu'elle aime ce qu'elle fait. Ce qu'on fait
ici la passionne, comme la plupart d'entre nous, d'ailleurs.
Mais pas tous, cependant. Certains requièrent plus d'enca-
drement, plus de sécurité et moins d'exigences pour donner
un rendement hors du commun. Habituellement, ces personnes découvrent ces besoins-là dès les premiers mois de
leur engagement. La passion est au cœur de tout ce qu'on
fait, et ceux qui en manquent ne résistent pas longtemps.

Une nouvelle façon de penser

Nous sommes arrivés devant deux gigantesques portes
rouges à fenêtre ronde, qu'il nous a suffi de pousser pour
pénétrer dans un immense gymnase d'entraînement que
Diane a appelé «studio». Mes yeux se sont immédiatement
fixés sur un ballet aérien exécuté par des artistes suspendus
à des bandes élastiques reliées à une grille fixée au plafond.
Quand six d'entre eux tombaient en chute libre jusqu'à trois
mètres du sol, puis remontaient comme des fusées jusqu'au
plafond, où ils semblaient flotter en apesanteur, la peur me
tordait l'estomac. J'étais incapable de détourner les yeux.
Une extraordinaire démonstration de vitesse, d'énergie, de
précision et de sang froid. Toutefois, l'entraîneur de ces
artistes semblait moins impressionné que moi.

– Alex! cria-t-il à l'un des artistes, ce n'est pas un
solo. On a moins d'un mois pour y arriver et ce n'est pas
suffisant. Tu dois prêter attention à tes partenaires. Il faut
tenir compte du rythme, le ressentir et le suivre surtout.
C'est essentiel pour le transmettre à l'auditoire. Cela doit
se faire sans effort apparent, ça doit avoir l'air facile, pour

que les spectateurs aient l'impression de voler avec toi.
Maintenant, recommençons !

Les artistes sautaient pour rattraper leurs trapèzes
pendant que l'entraîneur demandait qu'on relance la trame
musicale. Quelques mouvements à la barre, après quoi ils
ont quitté leurs trapèzes en sautant vers l'arrière comme des
plongeurs quittant un tremplin de 10 mètres pour fendre
l'eau avec force. Or, il n'y avait pas d'eau, seulement un
plancher dur et froid.

Alors, quand ils descendaient jusqu'au maximum
de la capacité d'extension de leur câble de *bungee*, ils se
retournaient rapidement avant d'être de nouveau projetés
en l'air.

J'ai aussi remarqué six gréeurs, un pour chaque
acrobate, qui ajustaient constamment la tension des
longes de sécurité, afin que les artistes aient suffisamment
de jeu pour accomplir leurs mouvements tout en étant
adéquatement protégés si quelque chose tournait mal.
En fait, les six artistes, deux hommes et quatre femmes,
n'avaient pas à surveiller le travail de leur gréeur. Ils
n'avaient qu'à exécuter leurs mouvements avec précision
pour évoluer dans l'air aussi gracieusement qu'une équipe
de nage synchonisée le fait dans l'eau.

– Oui ! C'est ça ! s'est écrié l'entraîneur. Maintenant,
laisse-toi aller, donne-toi au public !

Et c'est ce qu'ils ont fait ! J'eus droit au spectacle d'un
sextuor d'artistes qui s'envolaient, retombaient, culbutaient,
tournoyaient et se croisaient l'un l'autre, comme des anges
dansant sur un nuage. Et pour la fin de leur numéro, ils se
sont simultanément posés sur leurs trapèzes et gentiment
balancés, comme s'ils n'avaient rien fait de plus difficile
que de s'amuser avec un pneu accroché à une branche
d'arbre.

Sitôt après, l'entraîneur s'est exclamé :

– Voilà pourquoi on a travaillé si fort! Maintenant vous êtes en mesure de voir ce qui, auparavant, n'était que le fruit de l'imagination. Vous êtes aussi capable de comprendre pourquoi les gens vont vouloir vous voir et vous revoir, encore et encore!

Nous avons tous applaudi. Diane s'est écriée : «Bravo!»

Une exclamation qui devait être une espèce de signal pour l'entraîneur, qui s'est approché de nous.

– Voici Igor, a dit Diane en me le présentant, avant de s'adresser directement à lui :

– Excellent, *Drug*! l'a-t-elle félicité, en utilisant le mot qui, je l'ai appris plus tard, signifie «ami» en russe.

– *Spassiba*! c'est-à-dire merci, a répondu Igor, en faisant une brève révérence.

Igor, qui faisait à peine 1,65 mètre, portait une longue barbe poivre et sel et affichait un large sourire que complétait son regard intensément pénétrant. S'il avait été vêtu d'une veste, de jeans, de bottes et d'un chapeau de cow-boy, il aurait ressemblé à un acteur jouant un vilain prospecteur dans un western de série B.

– Ils font très bonne figure, a dit Diane, je vois beaucoup de progrès.

– Ça s'en vient, a-t-il répondu, le front encore couvert de sueur, mais on doit progresser. La première est dans un mois et on n'est encore qu'à moitié chemin.

– C'est déjà remarquable! ai-je lancé.

– *Nyet*, a-t-il dit en repoussant mon compliment du revers de la main, comme une vulgaire mouche. On doit l'avoir correctement chaque fois. Il faut que tout soit resserré afin qu'aucun spectateur ne puisse penser au travail ardu qu'il a fallu pour y arriver. Tout doit avoir l'air naturel.

Regardez autour de nous, ce bâtiment est fantastique, un endroit absolument magique. Il ne ressemble à aucun autre que j'ai pu voir. Il est évident qu'il a fallu beaucoup d'imagination pour le construire, mais sans discipline, le genre de discipline qu'il faut pour apprendre la physique et la biomécanique, pour exiger les meilleurs matériaux, pour bien planifier et bâtir correctement, tout cela s'écroulerait !

Alex est l'un des acrobates les plus talentueux que nous ayons jamais recrutés, poursuivit Igor, mais c'est la première fois qu'il travaille au sein d'un groupe synchronisé. Il a encore de la difficulté à saisir le fait qu'ici, au Cirque, on ne présente pas que des prouesses athlétiques. Nous sommes des artistes ! Et il y a une énorme différence que j'ai moi-même mis beaucoup de temps à saisir.

Un spectacle du Cirque, c'est tout ce que vous pouvez imaginer et tout ce que vous pouvez faire, mais cette incroyable liberté est à la fois le problème et la solution. Elle exige qu'on pense différemment, ce qui peut être difficile. Étant un ex-entraîneur en gymnastique, il m'a fallu apprendre à transformer les éléments acrobatiques en éléments artistiques, à ne pas me contenter des « Oh ! » et des « Ah ! » d'une salle, mais à tout faire pour tirer une réaction personnelle maximale de l'auditoire.

En repensant aux fortes émotions que le spectacle KÀ avait provoquées en moi, j'ai vite compris que cela n'avait pas été le fruit d'un simple hasard, mais le résultat d'une intention consciente de ces formidables artisans. Et j'ai demandé à Igor :

– Alors, comment vous y prenez-vous pour aider vos athlètes à faire la transition ?

– Avez-vous déjà agi vous-même en tant qu'entraîneur ? me demanda Igor.

– Un peu, lui ai-je répondu. En natation quand j'étais au secondaire, il y a longtemps. Et bien que j'avais déjà une maîtrise parfaite des mouvements, il m'a fallu longtemps pour apprendre comment transmettre à mon équipe ce que j'avais moi-même appris.

– Exactement! remarqua Igor. Entraîner au Cirque était difficile pour moi au début. Je devais acquérir une nouvelle façon de penser. Je savais que j'étais un bon entraîneur, peut-être parce que j'avais appris avec d'autres bons entraîneurs. Le Cirque m'a appris à adapter mes méthodes d'entraînement à autre chose que la gymnastique de compétition. La gymnastique est essentiellement un sport individuel. Les gymnastes n'ont jamais besoin de recourir à une pensée créatrice ou de faire partie d'une équipe. Ils en sont arrivés là parce qu'ils étaient des individus forts. Alors, au départ, le principal défi consiste à éliminer les écarts entre le domaine athlétique et le domaine artistique, les individus et le groupe. Il faut transformer un individu en joueur d'équipe auquel les autres pourront se fier, littéralement confier leur vie, et métamorphoser un athlète en artiste capable d'émouvoir de purs étrangers aux larmes rien que par son langage corporel.

J'ai également dû apprendre que ceci est une entreprise commerciale. Une entreprise excessivement complexe et coûteuse. Dans le sport, si vous ratez les choses de peu, vous pouvez toujours revenir et vous reprendre. Mais notre société est une entreprise privée qui a investi des sommes astronomiques dans chacun de ses spectacles. Dans les hautes sphères où nous évoluons, un seul échec causerait énormément de tort à la compagnie. Dans nos rangs, il est possible d'accumuler suffisamment de crédibilité au cours des ans pour se permettre une ou deux erreurs, mais il faut respecter ses engagements, ce qui comporte obligatoirement des risques, individuels ou de groupe. C'est inévitable! Il faut apprendre à prendre *des risques calculés*, ceux qui vous permettent tout de même de respecter votre vision.

Prendre des risques

Pendant que Diane me conduisait jusqu'à un groupe d'athlètes à l'allure nerveuse, j'ai aperçu Cari qui se tenait plutôt en retrait. Je me suis alors rappelé à quel point on pouvait être tendu, mal à l'aise et déconcerté avant de se soumettre à un essai, plus particulièrement devant de parfaits inconnus qui veulent eux aussi un poste dans l'équipe.

— Maintenant, voici ce que je veux, lança l'entraîneur d'un accent français exagéré et d'un sourire espiègle.

Elle s'appelait Annie. Diane me dit qu'elle avait déjà été gymnaste, chorégraphe et entraîneure d'une équipe nationale.

— Vous devez grimper à cette corde et, une fois en haut, vous devrez chanter une chanson. Avez-vous des questions?

La vingtaine de candidats et candidates riaient nerveusement, puis un jeune homme portant le t-shirt d'un club de gymnastique italien lui a demandé :

— Êtes-vous sérieuse?

Toute trace d'humour s'est alors retirée du visage d'Annie. Les mains sur les hanches, elle s'est avancée très lentement vers le jeune homme pour lui demander :

— Est-ce que je parais sérieuse?

Pris de surprise, les yeux du garçon se sont immédiatement écarquillés.

— Ne laissez pas ma gentillesse vous tromper, ajouta-t-elle à l'adresse du groupe, provoquant l'hilarité générale.

Je ne suis pas toujours aussi chaleureuse et tolérante. Alors, qui veut passer en premier?

Devant le silence, elle a dit :

– Pourquoi pas... en hésitant comme si elle cherchait quelqu'un, puis... pointant l'Italien du doigt : Vous, Monsieur... Allez... Hop!»

Tout le monde a ri. Au moment où le jeune homme s'apprêtait à grimper à la corde, Annie lui a demandé :

– Quel est ton nom?

– Giovanni, a-t-il dit, mais mes amis m'appellent Gio.

– Alors je vais t'appeler Giovanni, a répliqué l'entraîneure.

– J'ai fait de la compétition pendant une dizaine d'années, mais je n'ai jamais eu à grimper à une corde auparavant, a commenté le jeune homme.

– Eh bien, a fait Annie en lui tendant la corde, vous allez le faire maintenant, n'est-ce pas?

Une fois de plus, les membres du groupe se sont mis à rire, même si, de toute évidence, le jeune homme leur était sympathique.

En guise de protestation, Gio s'est empressé d'annoncer :

– Mais je ne sais pas chanter!

– Bien sûr, Giovanni. Je ne sais pas jouer de la flûte, mais si le Cirque me demandait d'en jouer, je le ferais.

Alors, ayant apparemment compris qu'il ne pouvait s'en sortir, Giovanni s'est agrippé à la corde. Au départ, il cherchait maladroitement la manière de s'y prendre, puis, après un mètre d'escalade environ, ses aptitudes athlétiques sont venues à son secours. Il a rapidement grimpé les quelque sept mètres restants jusqu'au sommet.

– Alors, votre chanson s'il vous plaît, l'a pressé Annie.

– Mais je ne sais que des chansons italiennes, a-t-il protesté.

– Elles pourraient être en swahili, je m'en fiche, a dit la femme. Mais chantez!

Après s'être éclairci la voix quelques secondes, il s'est lancé alors dans une version plutôt cabotine de *That's Amore*, au grand plaisir de tout le groupe en bas. Bien que sa performance ait laissé à désirer, son exécution était forte et dynamique. Les autres candidats l'ont applaudi et Gio s'est laissé glisser sur la corde jusqu'au sol.

– Pas mal, Gio! l'a félicité Annie en traçant une marque à côté de son nom sur une tablette à pince. Après quoi, elle a repris : Pas mal, mais pas bien non plus!

– Pourquoi est-ce qu'elle leur fait faire tout cela? ai-je demandé à Diane.

– Comme l'a expliqué Igor, m'a-t-elle répondu, la plupart des candidats sont des athlètes habitués à suivre les règles qu'on leur impose, à faire ce qu'on leur dit de faire. Il faut qu'ils apprennent à délaisser leur zone de confort pour essayer de s'exprimer dans quelque chose de différent. Ils doivent apprendre une nouvelle façon de communiquer avec les gens. Pour nous, c'est ce qui est au cœur de nos spectacles, la communication. Il faut qu'on découvre qui est capable de le faire et qui ne l'est pas.

À ma grande surprise, Cari s'est portée volontaire pour le tour suivant. Je ne l'avais pas du tout perçue comme étant si audacieuse. Voilà qu'elle grimpait fermement à la corde, après avoir un peu glissé au début, puis appris à coordonner les mouvements de ses jambes et ses bras pour le faire plus facilement. Parvenue au sommet, la figure rougie par l'effort, elle a étendu le bras pour créer un effet dramatique et, d'une force de voix surprenante, a entamé hardiment la chanson-thème de la comédie musicale *Annie*, «The sun'll come out... tomorrow!»

Malgré un timbre vacillant au début et quelques fausses notes, qui n'ont fait qu'ajouter un petit côté comique et plus de chaleur à sa prestation, elle s'en est assez bien tirée.

Le reste du groupe riait et l'acclamait.

– Merci, a-t-elle dit, quand les applaudissements ont commencé à s'atténuer.

Ensuite, elle a redescendu la corde avec précaution. Quand elle a touché le sol, sa figure était radieuse et son sourire s'étendait d'une oreille à l'autre. J'étais transporté de joie et débordant de fierté. Un coup d'œil dans le studio a vite confirmé que son sourire avait réellement été contagieux.

– Eh bien, ai-je dit modestement à Diane, elle est apparemment meilleure gymnaste que chanteuse.

– Peut-être, a-t-elle répondu en regardant Cari avec un sourire appréciatif, mais laissez-moi vous dire ce qu'il y a de bien plus important en elle : elle a du cran. Du moment qu'une personne est capable de courage et de générosité, nous pouvons lui enseigner tout le reste. Pour moi, la créativité est d'abord et avant tout le fruit du courage, une volonté de prendre des risques, d'essayer de nouvelles choses et de partager son expérience avec d'autres. Cette fille recèle d'autant de courage qu'on pourrait en désirer.

Au moment de quitter Diane, à la fin de ma journée à Montréal, elle s'est empressée de m'assurer que l'évolution de mes activités professionnelles l'intéressait.

– Tenez-moi au courant! m'a-t-elle crié au moment où je montais dans le taxi qui me conduisait à l'aéroport. Et n'hésitez pas à m'appeler quand vous aurez envie de revenir.

chapitre 4

L'apprenti

Un saut dans l'inconnu

J'attendais le train sur un banc de la gare en feuilletant distraitement le *Chicago Tribune*. Je me sentais peu à peu glisser dans cette espèce de somnolence dans laquelle sombrent souvent les voyageurs du matin en route vers le travail.

Soudain, le souvenir d'une affiche vue au siège social du Cirque du Soleil secoua ma torpeur. Je revoyais cet homme en complet-cravate semblable au mien en train de lire son journal aussi calmement que moi-même quelques secondes auparavant. La différence entre cet homme et moi était son corps en flammes.

J'ai retrouvé mes esprits et me suis souvenu pourquoi cette affiche, et beaucoup d'autres, avaient trouvé place sur les murs du siège social du Cirque. Leur but était de rappeler la finalité de leur travail à tous ceux et celles qui fréquentaient cet endroit.

J'ai brusquement pris conscience qu'au cours des semaines précédentes, j'avais presque oublié les raisons pour lesquelles Diane m'avait invité à la première du spectacle KÀ. D'une manière ou d'une autre, un contact s'était établi entre elle et moi. Percevant sans doute les nuages d'ennui qui s'accumulaient sur ma vie, elle m'avait lancé une bouée de sauvetage : la chance de reconnaître la passion et le mystère qui m'entouraient.

Alors que je m'installai dans le train, je pris conscience d'être retombé dans la même ornière qui m'avait autrefois paralysé, dans cette espèce de somnambulisme qui m'avait fait perdre tout sens d'orientation et poussé dans une semi-inconscience. Je m'interrogeai. Pourquoi avais-je choisi ma profession en premier lieu? Plus important encore, pourquoi avais-je choisi ce genre de vie?

Diane avait tenté de me faire retrouver celui que j'avais été autrefois, avant de revêtir le complet-cravate de l'homme d'affaires que je portais depuis tant d'années. C'était il y a si longtemps. Était-il encore possible pour moi de changer?

Je me rappelais d'un certain soir, alors que mon ami Mike et moi étions assis dans notre bar préféré. Nous discutions de ce que nous voulions faire dans la vie, après nos études. Mike était très sûr de lui. Il s'était déjà trouvé un emploi d'enseignant à Brooklyn, où il avait grandi. Dès nos premières discussions d'étudiants, il m'avait toujours dit vouloir enseigner. De mon côté, j'avais toujours envié sa capacité à savoir aussi clairement ce qui comptait le plus pour lui, et surtout celle de suivre le bon chemin pour y arriver avec une résolution indéfectible et une persévérance à toute épreuve.

De mon côté, j'étais beaucoup moins sûr de mes désirs. Tellement de choses m'intéressaient, tellement d'endroits à voir absolument, tellement de gens à rencontrer. Toutefois, je n'avais pas la moindre idée de la manière de réaliser mes rêves.

«Frank, m'avait dit Mike avec une candeur inhabituelle, tu dois trouver quelque chose qui te tient suffisamment à cœur pour y consacrer toute ta vie.»

Dès ce soir-là, j'avais déjà décidé de baser ma carrière sur ma passion pour la discipline et la beauté du sport en aidant les jeunes athlètes à accéder aux plus hauts échelons du professionnalisme. Ainsi, en tant qu'agent sportif, j'allais pouvoir aider les plus talentueux d'entre eux à concrétiser leurs rêves, tout en œuvrant dans un champ d'activité qui me stimulait personnellement. Et c'est ce que j'ai fait. Mais le temps passe et les passions s'atténuent. Était-ce possible de les ranimer?

Le train s'était immobilisé. Je me levai et repliai mon journal sous mon bras. Mon cerveau était surexcité par les nouvelles possibilités que j'entrevoyais. Bien sûr, c'était audacieux et risqué mais, comme Igor l'avait si bien dit, on ne pouvait rien accomplir d'important sans sauter dans l'inconnu. Avant tout, il fallait un rêve... une vision.

En arrivant au bureau ce matin-là, j'ai appelé la secrétaire administrative de notre entreprise pour prendre rendez-vous avec notre PDG.

– Alan est libre cet après-midi, Frank, m'a-t-elle indiqué.

Ainsi, quelques heures plus tard, les mains moites, je me suis retrouvé dans le bureau présidentiel, pendant qu'Alan terminait une conversation téléphonique. Quand il s'est libéré, nous avons échangé les civilités d'usage et des propos plutôt banals, puis, j'ai pris une grande inspiration pour tenter d'apaiser ma crainte devant ce que j'avais l'intention de dire à mon patron. J'avais toujours aimé et respecté Alan, mais je ne lui avais jamais dit à quel point mon emploi me rendait malheureux.

Dans notre domaine, il fallait toujours maintenir une attitude imperturbable et rassurante, tant pour les clients que pour nous-mêmes. Mais cela avait un prix. Au lieu de toujours travailler dans le meilleur intérêt de nos clients, nous avions trop souvent peur de les offenser, pire encore de les perdre, en leur donnant les judicieux conseils dont ils avaient réellement besoin. Par ailleurs, le tempérament bouillant d'Alan était bien connu et cela n'était rien pour apaiser ma crainte. C'est alors que je me suis rappelé à quel point Cari s'était montrée brave au Cirque, quand elle a chanté à pleins poumons au sommet de la corde, devant ses camarades gymnastes. Si elle avait pu prendre de tels risques, je le pouvais assurément moi aussi.

– Je suis malheureux ici, ai-je dit, et je le suis depuis longtemps.

À ma surprise, notre PDG est resté parfaitement calme et m'a simplement répondu :

– Je m'en doutais, Frank. Pourquoi as-tu attendu si longtemps avant de me le dire ?

– Probablement parce que je n'en ai pris conscience que très récemment, ai-je ajouté.

En repensant à tout ce que j'avais vu à Las Vegas et à Montréal, j'ai décidé de jouer cartes sur table. Je lui ai raconté ce que j'avais vécu au contact des membres du Cirque et comment j'en étais arrivé à comprendre ce manque qui marquait ma vie et mon travail. Puis, juste au moment où je commençais à croire que j'étais allé aussi loin qu'on puisse le faire sans être congédié, Alan m'a interrompu :

– Eh bien, qu'attends-tu pour changer la situation, Frank?

Je lui ai expliqué que j'avais un plan. Il me faudrait toutefois prendre un congé d'un mois pour profiter de l'offre de Diane. Je voulais retourner au Cirque du Soleil pour en apprendre davantage sur leur culture d'entreprise et explorer la possibilité d'ajouter un peu de leur magie à ma propre vie.

Je lui expliquai aussi que je voulais mettre à profit ce séjour pour améliorer notre gestion de la carrière de notre nouvelle cliente, Cari. Elle avait réussi l'audition du Cirque et était sur le point d'entreprendre un rigoureux programme d'entraînement au cours duquel ses entraîneurs chercheraient à évaluer ses capacités à s'intégrer à la compagnie. Je n'étais pas sûr de ce que j'allais y apprendre moi-même, mais je pensais y découvrir de nouvelles façons d'aider les athlètes représentés par notre entreprise.

Tous les points rationnels de ma requête étant énoncés, je pris une autre inspiration profonde avant d'ajouter :

– Alan, si je n'essaie pas de ranimer la flamme qui m'a poussé à accepter cet emploi au départ, je ne pourrai pas occuper ce poste encore très longtemps.

Il a secoué la tête en réfléchissant, puis m'a dit :

– Frank, pour nous, depuis 12 ans, tu as été un champion! Si c'est de cela dont tu as besoin pour retrouver ton entrain au sein de notre entreprise, comment veux-tu que je te dise non?

En sortant du bureau de notre PDG, je me suis précipité sur le téléphone pour appeler Diane. Je lui ai expliqué ma démarche et j'ai recherché son approbation en lui affirmant :

– Le Cirque pourrait m'en apprendre beaucoup, et même m'aider à recruter plus de clients pour vous. Mais, en toute franchise Diane, mes perspectives de carrière ne sont qu'une infime partie des avantages que je pourrais en tirer. En quelques jours seulement, le Cirque et ses membres ont changé ma vie. Je ne peux seulement qu'imaginer tout ce que je pourrais apprendre sur le travail d'équipe et le risque, sur la passion et l'esprit créateur. Diane, laissez-moi vous dire qu'en réalité, le véritable objet de ma demande est que vous acceptiez de me guider au sein du Cirque. Non seulement pour quelques jours, mais pour quelques semaines. Au moins le temps d'observer comment votre personnel travaille et s'entraîne. Aidez-moi à comprendre comment on se sent dans cette famille-là, pour que je puisse en devenir un de ses membres. Vous m'avez déjà ouvert tant de portes... j'aimerais bien que vous m'en ouvriez d'autres encore.

Diane est demeurée silencieuse quelques instants, pendant lesquels j'avais l'impression que mon cœur sombrait. Que s'était-il donc passé dans ma tête ? Comment avais-je pu oser lui faire une telle demande ?

« Tu as lancé les dés, me suis-je dit. Il ne reste plus qu'à voir comment ils vont retomber. »

– D'accord ! a-t-elle dit enfin. Mais permettez-moi de clarifier quelque chose : je ne serai pas votre seul guide. Ici, au Cirque du Soleil, comme dans la vie, on a toujours plusieurs mentors. Chaque personne qui se joint au Cirque, que ce soit pour assister à une représentation, pour s'entraîner ou pour travailler, doit vivre une expérience personnelle unique. Il n'existe pas de recette secrète pour la créativité et je serais incapable de dire ce que

vous allez apprendre et emporter en nous quittant.
Votre séjour n'aura rien d'un pique-nique ou d'une
vacance. Il ne suffira pas de parler à nos artistes ou à notre
personnel, vous allez devoir en payer le plein prix.

– Que voulez-vous dire ? l'ai-je interrogée.

– Jusqu'à maintenant, vous n'avez qu'effleuré la surface
de ce que nous faisons ici. Il vous reste à comprendre le
dur travail qu'exige notre programme d'entraînement. Si
vous venez au Cirque, vous devez être prêt à vous
soumettre à une immersion totale. Vous ne serez plus un
simple observateur, mais un participant à part entière. Vous
devrez subir les mêmes tests et relever les mêmes défis
que ceux auxquels sont soumis tous nos autres candidats
avant de devenir des membres à part entière du Cirque
du Soleil.

À peine quelques minutes plus tard, tout était décidé.
Je logerais dans la résidence des artistes pendant trois
semaines, au cours desquelles je serais soumis à toutes les
étapes du programme d'entraînement du Cirque, dans sa
version abrégée. Diane me l'avait bien précisé : le Cirque
n'avait jamais ouvert ses portes à quelqu'un qui n'avait
aucune intention de devenir artiste.

J'ai alors compris que le risque était bien plus grand
pour elle que pour moi. Je n'arrivais pas à trouver les mots
pour lui exprimer toute ma gratitude. C'était la chance
d'une vie. Ce qui donnait encore plus de valeur à cette
chance, c'était que je m'étais mis dans une situation délicate
en prenant un aussi grand risque. Mon courage venait de
l'attitude de ces gens avec qui j'avais partagé cette idée
folle. Ils ne l'avaient pas accueillie avec mépris, mais plutôt
avec compassion. Quand on réussit à exprimer ses rêves,
on ne sait jamais ce qui peut arriver.

Une pollinisation croisée

Après un mois de mise en forme acharnée avant mon entraînement officiel, j'étais de retour à Montréal pour aborder ma première semaine de vie au Cirque. Je suis arrivé à la résidence des artistes le dimanche soir. Anne, l'adjointe de Diane, m'a conduit à ma chambre en me conseillant de me reposer, car j'aurais une journée chargée le lendemain. J'ai commencé par défaire ma valise. Puis, j'ai découvert un réfrigérateur rempli de fruits frais, une carte d'identité au logo du Cirque, et une liste des activités de la semaine à venir. Naturellement, aucun des noms d'instructeurs, de professeurs ou de directeurs ne m'était familier. C'est la grande diversité des personnes que je devais rencontrer, des responsables de la créativité jusqu'aux clowns, qui m'a étonnée. Ensuite, comme Diane me l'avait prédit, les activités imposées m'ont paru intimidantes, et notamment l'entraînement aux fameux *bungees* que j'avais vu lors de ma première visite. Finalement, malgré mon estomac agité, je me suis couché en espérant dormir. Le lendemain matin, ce sont les rayons du resplendissant soleil qui inondait ma chambre à travers ma grande fenêtre en saillie qui m'ont réveillé.

Mon premier rendez-vous du jour était avec l'un des membres du groupe des instructeurs du Cirque, Bernard Lavallard, que j'ai rejoint à la cafétéria à neuf heures. Si l'on avait eu à attribuer le titre de «spécimen du hippie québécois d'âge mûr», Bernard aurait été le candidat idéal. Mais malgré son béret, ses petites lunettes rondes comme celles de John Lennon et une longue barbe poivre et sel, il m'a avoué avoir déjà été, dans les années soixante, un gymnaste de niveau respectable.

– Je réussissais bien aux anneaux, au cheval-sautoir et au cheval d'arçons, a dit Bernard. Je travaillais intensément et j'avais les cheveux..., comment dirais-je, en brosse! En fait, si je vous montrais ma photo à cette époque, vous ne me reconnaîtriez sûrement pas.

«Naturellement, je suis un vieil homme maintenant», ajouta-t-il en rigolant.

S'il était vieux, ça ne se voyait certainement pas. Son grand corps mince était probablement encore capable d'exécuter plusieurs des prouesses qu'il maîtrisait 40 ans auparavant.

– J'ai abandonné l'entraînement olympique à la fin des années soixante pour devenir clown, fit-il en se moquant de lui-même. Mon père en a été très fâché, mais c'était ce que je voulais. C'était dans l'esprit de ce temps-là. J'ai rencontré les fondateurs du Cirque bien avant la création de la troupe. Mais ils étaient déjà comme ils sont encore, avec l'esprit ouvert et le tempérament fougueux. En plus d'avoir un rêve, c'étaient de vaillants travailleurs, extrêmement disciplinés et bûcheurs, qui voulaient créer quelque chose hors du commun, quelque chose d'important, de nouveau. Leur énergie était simplement contagieuse.

Le Cirque avait besoin d'un entraîneur de gymnastique, a continué Bernard, pour donner plus d'intensité, de capacité d'excitation et de précision au spectacle. On ne voulait pas se limiter à des exercices au sol, mais procurer le plus intense plaisir au public. Pour cela, il fallait présenter des choses que personne d'autre n'avait même jamais osé tenter.

Le fait qu'il partageait le même idéal que les fondateurs avait été une condition essentielle au succès, même s'ils ne s'entendaient pas tous sur les moyens pour l'atteindre.

– Oh! dit-il en souriant, on pouvait se disputer à propos de presque tout : le choix des costumes; la sélection des athlètes ; s'il fallait tourner à gauche ou à droite, ou utiliser un réflecteur à faisceau large ou étroit. On discutait tous les points et c'était ce qu'il fallait faire. La première suggestion lancée n'était presque jamais celle qui était retenue. Plus les idées étaient lancées, plus elles se démarquaient en originalité et en créativité. Et quand on en était arrivé à une décision finale, on était absolument incapable de se souvenir d'où elle était sortie. D'ailleurs, cela n'avait aucune importance.

Au début, poursuivit Bernard, les créateurs ont étudié les façons de faire des autres cirques. Plus tard, ils ont demandé aux artistes de reproduire ce qu'ils avaient vu. Avec le temps, tous les membres du Cirque ont été capables de s'inspirer du plus grand nombre d'influences possible, provenant d'une multitude de champs d'action différents, tels que la peinture, le cinéma, la musique, etc. La richesse de cette espèce de pollinisation croisée a été l'une des clés de la fraîcheur et de la vivacité extraordinaire du Cirque. Je ne pourrais pas vous dire comment fonctionne le cerveau, pas même le mien ! a-t-il ajouté. Après toutes ces années et tous ces spectacles, je suis encore incapable de dire d'où viennent mes idées. Parfois, elles m'arrivent en tête spontanément, au moment le plus imprévisible, comme si elles sortaient de nulle part. Parfois même, elles ne relèvent d'aucune association logique. Par exemple, une fois, je me suis réveillé à quatre heures du matin avec l'idée d'un nouveau concept pour un numéro acrobatique, inspiré par un groupe de musiciens brésiliens que j'avais vus en spectacle la veille.

Je savais que beaucoup d'artistes s'inspiraient d'idées ou d'événements qui n'ont souvent rien à voir avec leur champ d'activité professionnelle. Tout à coup, conscient de m'être trop souvent isolé en coupant les ponts qui me reliaient à certains champs d'intérêt qui auraient pu élargir ma façon de penser, j'ai demandé à Bernard :

– Que faut-il pour transformer ces idées-là en numéros de spectacle ?

– Des échéances ! a-t-il lancé en riant. Naturellement, elles viennent toujours trop vite. Si c'était autrement, on aurait de la difficulté à rester concentré bien longtemps. Par contre, avec une échéance qui approche, au lieu de paniquer, le cerveau commence à pondre des idées folles qu'on n'aurait jamais trouvées autrement. Quand on n'a que deux jours pour créer une transition entre un numéro de trapèze et un numéro de trampoline, on trouve ce qu'il faut faire plus rapidement.

Je savais que la plupart des gens détestent les échéances, mais je n'aurais jamais pensé que cette sorte de limite pouvait avoir un effet positif. «Par contre, qu'est-ce qui pourrait vous empêcher d'aller de l'avant ?» ai-je encore demandé.

– Les tracasseries administratives ! a répliqué Bernard en brandissant le poing pour exprimer la rage que cela lui inspirait. C'est un obstacle majeur pour nous, au Cirque. On se développe tellement rapidement qu'on semble avoir toujours besoin d'augmenter les règles et la paperasse. Après tout, on emploie déjà 3 000 personnes ici. Mais il faut être prudent aussi, toute nouvelle décision administrative, tout nouveau règlement ou formulaire peut nuire à notre succès. Tout cela peut étouffer la magie et couper le courant de l'inspiration. Quand on sent trop de restrictions, on commence à penser de moins en moins à ce qu'on *peut* faire, et de plus en plus à ce qu'on *ne peut pas* faire.

En guise de conclusion, Bernard a simplement ajouté : «Heureusement que Picasso n'a pas eu à demander l'approbation d'un service juridique avant de peindre son célèbre chef-d'œuvre *Guernica*.»

Par les yeux de l'auditoire

En quittant Bernard, je repensai à ce dont il m'avait parlé, soit l'échange perpétuel des idées : la première idée n'était jamais celle qui était retenue. Je repensais aussi à l'importance des échéances et à ce qui m'avait davantage frappé, le danger des lourdeurs administratives.

Au cours de la dernière année, mon entreprise avait perdu certains clients aux mains d'une nouvelle agence qui parvenait toujours à nous devancer. Tardions-nous trop à présenter nos arguments de vente? Des échéances plus rapprochées nous auraient-elles permis de trouver de meilleures idées? Étions-nous devenus trop rigides, trop embourbés dans les tracasseries administratives pour sortir des ornières dans lesquelles nous nous étions enlisés?

Pour respecter l'horaire qu'on m'avait imposé, j'ai emprunté un escalier pour me rendre au minuscule bureau de Charina, une directrice artistique du Cirque. Cette Espagnole aux longs cheveux noirs et raides s'est empressée de déplacer des piles de croquis, de photos de magazines et de plans pour dégager un espace sur sa table de travail.

– Excusez-le désordre! On est en train de créer un nouveau spectacle et c'est parfois un processus chaotique.

Bien qu'elle semblait être vers la fin de la trentaine ou au début de la quarantaine, elle était aussi radieuse qu'une adolescente débordante d'énergie. Et en tant que directrice artistique de deux spectacles, l'un de ses principaux défis consistait à maintenir la vigueur artistique de ses protégés, m'a-t-elle dit.

– L'un des spectacles dont je m'occupais était itinérant. On le présentait dans une même ville six jours par semaine pendant quelques mois, puis on se transportait dans une autre ville pour reprendre le même scénario. Le second était un spectacle fixe, avec deux représentations par soir, cinq soirs par semaine. Dans chaque cas, la question était toujours la même : comment maintenir la forme et le moral des artistes, même après qu'ils eurent donné mille fois le même spectacle ?

– Alors, comment vous y prenez-vous ? ai-je demandé sans détour.

– Le travail des artistes du Cirque est infiniment plus exigeant que le mien, m'a confié Charina.

Je ne pouvais croire que, même chez eux, les dangers de la routine demeuraient omniprésents.

– Tout d'abord, je dois travailler aussi fort que je l'exige des autres, m'affirma Charina. Je ne peux pas les tromper. J'ai connu un directeur qui allait en coulisse après chaque spectacle pour dire à tout le monde : « Bravo ! Quel magnifique spectacle ! » Mais les artistes savaient tous qu'il n'était pas resté pour toute la représentation, qu'il ne s'était introduit au fond du théâtre qu'en catimini, à peine quelque cinq minutes avant la fin. Cela pouvait peut-être sembler une faute mineure à ses yeux, mais pour les artistes, c'était un terrible affront. En conséquence, il a perdu sa crédibilité auprès de ses protégés. Quand est venu le moment de les exhorter à travailler plus fort et à donner davantage, ils n'avaient plus envie de faire quoi que ce soit pour lui. Croyez-moi, dans notre industrie, les ouvriers travaillent rarement plus fort que le patron. Voilà la raison de ma première décision d'être présente pour chaque spectacle. Eux se doivent d'être présents, moi aussi !

J'ai approuvé d'un signe de tête. Dans mon cas, l'une des raisons pour lesquelles j'avais toujours décidé de ne pas quitter mon emploi durant toutes ces années, même après que mon intérêt eut décliné, c'était Alan, mon président. Il passait plus d'heures à l'ouvrage que chacun de nous et sa passion pour notre travail était inégalable. Cependant, bien que son enthousiasme m'ait toujours encouragé à persévérer, je ne m'étais jamais demandé comment agir de la même manière envers les autres.

– Ma deuxième tâche consistait à attribuer des notes aux artistes après chaque spectacle, a poursuivi Charina, en fonction de petites choses que j'avais relevées : ce qui était bien, ce qui fonctionnait mal et ce qui s'était amélioré. De cette façon-là, ils savaient que j'étais attentive et que leur travail avait de l'importance. J'ai surtout appris à ne pas donner que des notes négatives. Sinon, en très peu de temps, ils se seraient contentés de grogner de déplaisir chaque fois qu'ils en recevaient une. Donc, il était aussi important de rester positif.

Mais ce que j'ai fait de mieux, enchaîna Charina, c'était de les aider à voir leur travail par les yeux de l'auditoire. Chaque fois que quelqu'un devait s'absenter, ne serait-ce qu'un soir, par exemple, à cause d'une blessure ou d'un besoin de repos, je lui donnais un billet pour qu'il puisse s'asseoir dans le théâtre et qu'il voie le spectacle comme tout le public le voit lui-même chaque soir. J'ai été surprise quand j'ai découvert que la plupart d'entre eux n'avaient jamais vu leur propre spectacle de la salle. Certains n'avaient même jamais vu tout le spectacle, même des coulisses !

Voir le spectacle en tant que membre de public permet de constater à quel point c'est magnifique, poursuivit-elle. En s'asseyant à côté d'une femme qui voit le spectacle pour la première fois par exemple, on peut comprendre pourquoi elle est en larmes à la fin de la soirée ! Ils en viennent donc à comprendre pourquoi ils doivent travailler si fort, pourquoi ils suent à l'entraînement et pourquoi les répétitions sont si exigeantes. Avant cette expérience, ils ne se concentraient que sur leur propre numéro, leur propre rôle. Ils n'avaient jamais pleinement saisi le fait que c'est l'ensemble, tout le spectacle, toutes ses parties, qui est si évocateur. Oui, après une seule expérience au milieu de l'assistance, les artistes sont transformés.

Le même phénomène se produit à Montréal, a-t-elle expliqué. Si les cuisiniers, les agents et les réceptionnistes n'assistent pas à une répétition de temps en temps, ils en viennent à oublier les raisons de leur travail. Ils n'ont plus de lien avec le produit final. Selon moi, c'est une condamnation à mort pour une organisation comme la nôtre. C'est à ce moment-là que l'on comprend que notre participation est plus qu'un emploi ordinaire. On peut être comptable n'importe où, bien sûr, mais si on est comptable au Cirque du Soleil, notre travail devient aussi exceptionnel que nous.

Je me rendais bien compte que cette façon de penser pouvait s'appliquer à presque toutes les entreprises. Quand on ne comprend pas son rôle au sein de l'ensemble, comment peut-on être emballé par ce que l'on fait ?

Sans compromis

Mon rendez-vous suivant m'a conduit au studio d'entraînement, où je devais être initié à l'art du *bungee*. Mais avant qu'on me permette de tenter l'expérience, j'ai dû me soumettre à certaines épreuves physiques. J'étais déjà entré dans ce studio-là, bien sûr, mais cette fois, je n'y allais plus en tant qu'observateur, mais comme acteur. Je ressentais une certaine nervosité, sans doute semblable à celle que Cari avait dû ressentir en audition.

Après avoir enfilé des vêtements d'exercice, je suis entré dans le studio pour examiner les lieux. Au-dessus de ma tête, j'ai découvert d'énormes balles de plastique multicolores dans un filet, suspendues aux chevrons, et dont une corde pendait jusqu'au sol. Debout devant moi, près d'un tapis roulant, un homme tenant une tablette à pince.

C'était Ivan Mikhailov, dont j'allais apprendre le nom plus tard. Détenteur de diplômes d'études supérieures en nutrition et en physiologie, il avait la tête de l'emploi avec son visage de savant et sa barbe à la Sigmund Freud.

Mon entraînement allait débuter par une évaluation cardiovasculaire, puis j'allais devoir courir sur le tapis roulant pendant 18 minutes, ce qui ne me semblait pas trop difficile. Pourtant, j'ai commencé à m'inquiéter quand Ivan a installé un moniteur cardiaque sur ma poitrine.

Il a mis le tapis en marche à vitesse réduite et je n'ai eu aucune difficulté à suivre le rythme. Mon pouls oscillait autour de 58 battements à la minute.

– Très bien! a-t-il dit en mettant le moniteur en marche.

Mais après trois minutes, il a accéléré le mouvement et augmenté l'inclinaison du tapis. À neuf minutes au chronomètre, la chaleur envahissait déjà mes jambes et mes poumons.

Au cours des six minutes suivantes, Ivan a augmenté la vitesse et l'inclinaison à plusieurs reprises dans le but évident de me pousser à la limite. Mon pouls avait atteint 166 battements à la minute et j'avais l'impression d'avoir le cœur en feu. Peu importe la fréquence de ma respiration, je n'arrivais plus à pomper suffisamment d'air. Ayant peine à suivre le rythme du tapis, j'avais l'impression de ne plus tenir que par un fil. Constatant alors mon épuisement, Ivan m'a soutenu le bas du dos d'une main pour éviter que je ne perde l'équilibre et que je tombe à la renverse sur les tables d'entraînement derrière moi.

– Plus que 90 secondes, Frank, a dit Ivan pour m'encourager un peu.

Si la conversation étonnamment candide de ce matin-là au sujet des moyens de m'inculquer la culture de la créativité visait à me rendre plus réceptif aux idées nouvelles, l'intensité intempestive du tapis roulant, elle, avait réussi à décaper les couches superficielles de ma personnalité. J'avais complètement cessé de me préoccuper de ce qu'Ivan ou n'importe qui aurait pu penser, ou de de ce que j'avais l'air. Je n'aspirais plus qu'à en finir, qu'à sortir de là. J'étais complètement vidé, mais tellement près du but que je ne voulais pas abandonner.

– Trois... deux... un... compta Ivan, ça y est! Vous avez fini, mais agrippez-vous aux poignées jusqu'à ce que le tapis se soit arrêté.

Je n'avais peut-être battu aucun record, mais j'avais au moins réussi la première épreuve.

Je ne pourrais pas en dire autant des exercices qui ont suivi. Aux tractions à la barre fixe par exemple, en respectant la forme rigoureuse qu'on impose à tous les artistes du Cirque, j'ai été incapable de faire mieux qu'une demi-levée, à peine suffisante pour soulever mes pieds. À la corde, le désastre a été pire encore. Je superposais férocement mes mains jusqu'à ce qu'un petit coup d'œil vers le haut confirme que le plafond était toujours aussi éloigné qu'au début.

– Ça suffit, a dit Ivan, la corde n'est pas pour vous!

C'est alors que, comme répondant à un signal, une brunette russe de 18 ans, Olga, s'agrippa à la corde. N'utilisant que ses mains, gardant les jambes en forme de V et parallèles au sol, elle s'envola littéralement vers le sommet, puis se laissa aussitôt glisser lentement jusqu'au plancher en se guidant d'une seule main à la fois. J'étais humilié comme le gamin qu'on choisit le dernier pour prendre part à un match de ballon.

– J'avais planifié quelques autres activités, mais je crois que vous en avez assez pour aujourd'hui! m'a lancé Ivan.

J'avais déjà ramassé mes affaires, en même temps que les restes de ma dignité, et je m'en allais vers les douches quand, en secouant la tête, Ivan a crié :

– Pas si vite! Pas de temps pour ça! Diane m'a dit que vous aviez rendez-vous avec René, sur le trampoline technique.

Croyez-moi, je n'ai pas du tout apprécié ce que je venais d'entendre. Mais, néanmoins, j'ai pris l'ascenseur et je suis monté au sixième étage où René m'attendait, avec sa queue de cheval, son t-shirt noir, son jean et ses bottes de travail de même couleur.

– Frank, êtes-vous prêt? a-t-il questionné en me voyant.

Encore tout essoufflé, je n'ai pu que lui répondre par un signe de tête.

– Par ici! Il m'a invité à le suivre dans un couloir jusqu'à un entrelacement de fils très fortement tendus à 10 centimètres l'un de l'autre, et dont la trame se creusait légèrement sous mon poids. Sous mes pas, six étages d'air libre me séparaient d'un grand plancher sur lequel j'apercevais des êtres vivants et des appareils minuscules.

– J'espère que vous n'avez pas le vertige, s'est exclamé René.

– Non! ai-je répondu en souriant. Et c'était vrai. En général, les hauteurs ne me font pas peur. Cependant, je crains toujours une mort désagréable et prématurée.

– Ah! Vous n'avez absolument rien à craindre ici, a répliqué René en faisant quelques petits sauts sur le trampoline technique, ce qui me fit rebondir légèrement. Vous voyez, on est bien en sécurité. Vous pouvez me faire confiance.

Je ne pourrais pas dire que j'étais rassuré. Mais très vite, on s'est retrouvé dans une routine confortable… René me parlait, et moi je l'écoutais.

– La plupart de nos gréeurs ont appris la soudure ou autre chose avant de faire ce genre de travail, m'a-t-il expliqué. Les nouveaux employés mettent un certain temps à apprendre comment un cirque fonctionne en général, et surtout comment le Cirque du Soleil fonctionne. On s'attend à ce que les gens qu'on embauche aient certaines aptitudes, mais ils doivent ensuite adopter une certaine façon de penser. Si vous n'êtes qu'un bon soudeur, vous ne resterez pas longtemps ici. On ne se satisfait pas de simples capacités liées à la construction, on exige une sensibilité artistique qui permet de créer des équipements qui répondent précisément aux besoins du Cirque.

– Parlez-vous d'un équilibre entre les préoccupations sécuritaires et artistiques? l'ai-je interrogé.

– Non, absolument pas! a-t-il répondu. C'est la fausse impression la plus courante concernant ce qu'on fait. On n'accepte aucun compromis, ni en matière de sécurité ni en matière d'esthétique. On exige une sécurité à cent pour cent et une apparence à cent pour cent. Un défi tellement exigeant qu'il impose aussi une créativité sans compromis!

Regardez, m'a-t-il ensuite dit, en pointant tout ce qui grouillait à 20 mètres plus bas. Si on nous disait qu'on a seulement besoin d'être artiste, tout serait facile! On pourrait laisser les artistes planer au-dessus de la scène sans aucune protection, ou bien on les lancerait à l'aide de canons, ce qui serait très spectaculaire et amusant, jusqu'à ce que l'un d'eux se blesse dans un accident, ou pire encore. Si on permettait qu'on s'occupe uniquement de sécurité, ce serait facile aussi! On mettrait tout le monde dans des camisoles de force, on leur imposerait un casque protecteur et on ne les laisserait plus jamais quitter le sol. Mais le spectacle serait beaucoup moins agréable à voir, n'est-ce pas? Donc, l'atteinte maximale de ces deux pôles est la plus exigeante de nos préoccupations. Nos artistes doivent pouvoir accomplir les plus extraordinaires prouesses sans jamais être mis en danger. Voilà! C'est ce qui nous oblige à être créatifs, à trouver de nouvelles façons d'atteindre l'excellence en toute chose.

Et c'est justement cette espèce de piège, de contradiction, qui m'inspire, a commenté René. Par exemple, pour le spectacle aquatique «O», qu'on présente à Las Vegas, on utilise plus de cinq millions et demi de litres d'eau contenus dans un réservoir qui bouge et dont la forme se modifie. Au-dessus de toute cette eau, on a construit un appareillage qui permet aux artistes d'exécuter des numéros sur des trapèzes ou aux barres, comme sur un terrain de jeux pour enfants, mais à 20 mètres du sol! On ne pouvait pas construire une structure métallique désagréable à l'œil, le public aurait détesté ça, alors on s'est relevé les manches pour faire quelque chose de mieux.

Notre façon de penser repose sur deux principes : *tout doit s'intégrer* dans le spectacle et *rien n'est impossible*. Donc, il fallait que ce soit très léger, on a ainsi utilisé 15 métaux différents pour la structure. Il fallait que ce soit très solide pour résister à l'assaut d'une douzaine d'artistes s'élançant de toutes leurs forces. Et que ce soit bien intégré au thème du spectacle, c'est-à-dire l'eau. Enfin, il fallait que ce soit agréable à regarder, mais sans accaparer l'attention des spectateurs au détriment des artistes. On a exploré bien des idées avant de trouver celle qui puisse satisfaire toutes nos exigences. Après quoi on a fait en sorte que l'ensemble donne l'impression de voir et de sentir la présence d'un bateau en plein ciel, que les artistes peuvent même faire tanguer en se balançant. Il faut saisir les exigences mécaniques et esthétiques de la chose pour bien comprendre que ce n'est pas une simple machine, mais tout un environnement qui stimule l'imagination des artistes.

– Je n'avais aucune idée de tout le travail que cela pouvait exiger! me suis-je exclamé.

– Bien, a-t-il dit, on ne veut pas devenir les vedettes du spectacle, on veut seulement que vous puissiez l'apprécier. Si vous ne vous rendez pas compte qu'un appareil qui a coûté trois millions de dollars et exigé deux ans de travail pour le mettre au point pend au-dessus de votre tête, alors on a bien fait les choses.

Vous voyez, c'est comme ceci... expliqua-t-il en s'agenouillant pour saisir deux des fils du trampoline technique sur lequel on se tenait. Vous devez être en sécurité d'une part (il resserra le premier fil pour rapetisser le carré formé par l'ensemble)... et que cela soit artistique d'autre part (il a rapproché le fil parallèle au premier). L'équipement doit être bien intégré au spectacle (il a tiré le troisième côté vers l'intérieur). Et enfin vous devez le faire sans que personne ne s'en aperçoive (il a alors rapproché le quatrième et dernier côté du carré). Maintenant que la cible est passablement réduite, vous devez inventer de nouvelles façons de satisfaire à ces quatre exigences.

À la suite des manipulations de René, de plus larges ouvertures étaient apparues entre les câbles du trampoline technique, de chaque côté du petit carré qu'il venait de former à quelque 30 ou 40 centimètres de moi.

– Je... je ne savais pas que ces fils pouvaient bouger autant, ai-je cru bon de dire en m'agrippant de la main droite à une poutre verticale.

– Ah oui, Frank, dit-il. Regardez bien ceci !

Il s'est mis à transformer la petite boîte qu'il venait de former sur le trampoline technique en une ouverture d'une quarantaine de centimètres carrés à travers laquelle j'aurais facilement pu glisser vers une mort certaine.

– En réalité, a-t-il précisé, on peut agrandir ces ouvertures jusqu'à deux mètres de côté, pour monter de gros objets du plancher jusqu'au trampoline technique et en descendre d'autres au besoin. Un autre exemple d'ingéniosité dans la création de quelque chose de nouveau. Vous savez, bien que très léger, ce grillage de fils peut soutenir jusqu'à une vingtaine de tonnes de matériaux. Il est incroyablement flexible !

Ce qu'il se mit en frais de me prouver en sautillant de nouveau sur les fils pendant que je serrais la poutre à deux mains.

– Voyons Frank, s'est amusé René, faites-moi confiance, vous êtes en parfaite sécurité ici. Ce plancher-là peut vous supporter sans problème. Si on peut monter une automobile dessus, vous pouvez certainement vous y installer. Tiens, il serait peut-être temps de vous montrer l'atelier, a-t-il ajouté en marchant sur le trampoline technique pour se rendre à l'ascenseur : ici, on jouit d'une grande liberté pour penser à presque n'importe quoi, mais on a une bonne part de responsabilités aussi. On n'a pas besoin qu'on nous rappelle de penser à la sécurité. On sait qu'avec

11 spectacles en cours à travers le monde, 24 heures sur 24 et 7 jours sur 7, beaucoup de gens n'ont pas eu peur de confier leur vie à ce que, nous, on a créé pour eux. Ce n'est pas une responsabilité à prendre à la légère. On ne pourrait jamais se permettre qu'il leur arrive quoi que ce soit. Jamais !

En traversant le trampoline technique à mon tour, j'ai demandé à René :

– Avec près de 900 artistes dans les airs chaque jour, il doit bien y avoir des incidents à l'occasion, non ?

– Des incidents ? Bien sûr ! a-t-il répondu. De temps en temps, mais très rarement. Nos artistes se blessent à l'occasion parce que ce sont des athlètes qui exécutent des mouvements difficiles chaque jour. Mais il ne faut pas que ce soit à cause de notre travail à nous. Quand il y a un accident, on en a eu quelques-uns même s'ils sont rares, on saute dans un avion au plus vite et on va enquêter en profondeur sur place. Jusqu'à maintenant, presque tous les accidents étaient dus à des erreurs humaines, comme un harnais mal bouclé ou un mouvement fautif, par exemple. Les incidents directement liés à la défaillance d'une pièce d'équipement sont extrêmement rares.

– Alors vous n'en êtes pas responsables, ai-je dit.

– Pas tout à fait ! s'est exclamé René. On est quand même en faute parce que cela pourrait signifier que notre concept n'était pas assez simple, ou qu'on n'avait pas assez insisté sur l'importance de vérifier l'état du harnais de sécurité au moins deux fois plutôt qu'une. On ne peut pas se permettre de jeter la faute sur les artistes. Ce serait trop facile et cela pourrait nous rendre négligents de penser qu'on puisse en attribuer la responsabilité à quelqu'un d'autre. Si quelque chose a mal tourné, cela pourrait vouloir dire que le système qu'on a mis à la disposition de l'artiste n'était peut-être pas le meilleur pour lui, ou pour elle.

Puisque nos créations doivent toujours se faire en harmonie avec le travail des directeurs, des artistes et des éclairagistes, nous sommes responsables du spectacle nous aussi. On fait partie intégrante d'une affaire de vie ou de mort, alors on ne peut pas simplement dire que c'est la responsabilité d'un autre service. Quand on conçoit nos équipements, on doit se rappeler que les athlètes de niveau international ne sont pas tenus d'être aussi des techniciens. On a l'obligation de leur fournir du matériel simple, sensé et facile à utiliser. Pour cela, il faut bien connaître ses gens et la psychologie est un élément essentiel de toute relation.

– Comment pouvez-vous vous assurer que tout va bien? ai-je encore questionné.

– Des gréeurs sont sur place en tout temps, pour chaque spectacle, pour tout surveiller et tout vérifier, une fois, deux fois… autant qu'il le faut! Si l'on est responsable, on se doit d'être là. Je monte régulièrement sur le bateau aérien du spectacle «O», dans la balançoire russe de *Saltimbanco* et sur la scène mobile de KÀ. On doit inventer de nouvelles méthodes pour tester nos systèmes, pour nous assurer que rien n'a été oublié. Mais parmi les meilleurs moyens dont on dispose, on peut toujours compter sur nos sens, nos yeux et nos oreilles, et tout aussi certainement sur nos perceptions instinctives.

– Avez-vous déjà vu KÀ? m'a demandé René.

– Oui, c'est le seul spectacle du Cirque que j'ai vu, ai-je répondu, et j'ai été fortement impressionné.

– Tant mieux, a dit René. C'est tout naturel. Vous avez vu la tente sur la falaise se transformer en oiseau mécanique?

– Comment voudriez-vous que je l'oublie ! C'était l'une des scènes qui m'ont le plus inspiré ce soir-là.

René a souri. Il n'était pas doté d'un ego excessif, mais était particulièrement fier de son travail.

– Quand j'étais là, il y a quelques mois, on procédait à une répétition avec l'oiseau qui volait à 20 mètres au-dessus de la scène, a-t-il dit. Il y avait de la musique. Quand j'ai mentionné que j'avais entendu un petit *clic*, Les gens autour de moi se sont écriés : « De quoi tu parles ? On n'a rien entendu. » Mais, faisant confiance à mon intuition, j'ai décidé de tout arrêter : la répétition, la musique, les indications du metteur en scène, etc. Puis j'ai demandé qu'on descende l'oiseau sur la scène. Il est fabriqué d'éléments sur métal et nylon et l'ensemble fonctionne harmonieusement quand tout va bien. Mais cette fois-là, ce n'était pas le cas. Habituellement, quand quelque chose ne va pas ou est sur le point de se briser par exemple, on entend un son qui sort de l'ordinaire, une vibration différente. Alors sitôt l'oiseau descendu, j'ai demandé à un gréeur d'aller vérifier ce qu'on appelle le surin, c'est-à-dire la poulie de droite au plafond. Et, tel que je le craignais, elle était sur le point de céder.

Le diagnostic, a poursuivi René, n'est pas nécessairement la prérogative de l'ingénieur. Dans ce cas-là, c'était plutôt le fruit de mon instinct. Si l'on se contentait d'inspecter les choses selon le protocole suggéré, on passerait souvent à côté des vrais problèmes. En tant que gréeurs, notre degré de créativité est peut-être moindre que celui des concepteurs ou des metteurs en scène, mais si l'on ne recourrait pas suffisamment à l'imagination dans notre travail, si l'on agissait comme des robots, on exposerait nos artistes au danger. Dans notre milieu en particulier, on a certainement le droit, sinon le devoir, de mobiliser son imagination. Quand j'ai conçu cet oiseau-là au départ, personne ne m'a dit que ma vision était erronée. Personne n'a qualifié mes idées de folles. On m'a laissé pleinement libre de construire quelque chose qui, selon moi, allait fonctionner. Quand est venu le moment de corriger l'erreur, ce jour-là, personne n'a contesté mon autorité non plus.

La responsabilité qui reposait sur les épaules de René me paraissait accablante. Dans mon milieu, quand il m'arrivait de gaffer, quelques avocats pouvaient en être légèrement irrités, mais personne n'en sortait blessé ou mort. Je peux comprendre qu'il soit important de s'en remettre à ses instincts à l'occasion, peu importe sa profession. Comme René le disait, on n'est pas des robots! Quand on sombre dans la routine, on n'utilise plus tous ses sens, son intuition, et l'attention qu'il faut accorder à ce qu'on fait. Pourtant, ce sont des capacités sur lesquelles il faut absolument pouvoir compter, particulièrement après de longues années d'expérience.

Quelques mois auparavant, j'avais tenté de convaincre l'un de mes clients, un jeune joueur vedette du basket-ball professionnel, de participer à un match hors concours entre célébrités, une occasion inouïe qui lui aurait rapporté un cachet faramineux, en plus de lui offrir une chance de se faire voir à la télé. Mais il avait préféré aller faire du bénévolat dans un camp d'été pour enfants de familles en difficulté, endroit qu'il avait lui-même fréquenté dans son enfance.

Alors je lui avais dit :

– Pense à tout le bien que tu pourrais faire avec la somme que tu vas recevoir pour ta semaine de travail. Tu pourrais toi-même fonder 10 camps comme celui-là avec ce qu'on va te verser.

Pourtant, au moment même où je prononçais ces mots, je savais que j'essayais de me convaincre moi-même autant que de persuader mon client. Ma seule motivation étant l'espoir d'une commission à venir. J'ai refusé d'écouter cette petite voix en moi qui me disait que j'avais tort. En somme, je n'ai trompé personne, ni moi ni mon client, dont les paroles me hantent encore.

– Naturellement, toi, tu vois ça comme quelque chose de correct. Mais heureusement, moi, je le vois autrement.

Puis il a vite quitté mon bureau. Dès le lendemain, j'apprenais qu'il avait laissé tomber notre agence et s'était inscrit chez notre plus important rival. J'avais abusé de sa confiance, et il le savait. Mais comme René, je ne pouvais pas tolérer l'échec.

J'ai alors dit à René :

– Autant de responsabilités, ça n'a pas l'air de tout repos.

– Tant que moi et les gens de mon équipe avons bien fait notre travail, je dors sur mes deux oreilles. Et pour me détendre je pratique le deltaplane.

N'en croyant pas mes oreilles, j'ai sursauté en m'écriant :

– Le deltaplane! Vous trouvez ça relaxant?

– Eh bien, dit-il, pensez-y. Si je jouais aux cartes, je serais incapable de m'empêcher de repenser à chaque vis et à chaque boulon qu'on a mis en place pendant la journée. Mais quand on saute d'une falaise à 3 000 m d'altitude, il est impossible de penser à quoi que ce soit d'autre, n'est-ce pas? Le monde que je survole m'absorbe tout entier.

La peur du succès

Après avoir quitté René, j'ai pris le chemin du vestiaire. J'avais la tête remplie d'idées en ébullition. J'en avais tant appris cette journée-là. J'étais particulièrement content que mon rendez-vous suivant soit consacré à l'activité physique. N'importe quoi pour calmer ce tourbillon de souvenirs de ce que j'avais fait autrefois, au travail, et que mes nouvelles convictions ne me permettraient jamais plus. René avait raison. Toute activité physique, même risquée, a un effet bénéfique sur le cerveau autant que sur le corps. D'ailleurs, au collège, j'avais l'habitude de nager quand quelque chose me troublait. Mais une fois mes études terminées, je n'ai fait que quelques tentatives hésitantes pour retourner à la piscine. Sans la stimulation de la compétition, ce n'était plus pareil.

Ma préparation d'un mois, qui avait précédé ma venue au Cirque, m'avait prouvé à quel point mon degré d'énergie pouvait être augmenté après une bonne session d'activité physique.

En arrivant près de mon casier, j'ai découvert un cintre à mon nom portant un costume en lycra à la poitrine traversée d'un motif bigarré. Comment rentrer mon corps vieillissant dans cette espèce de gaine? Pourtant, après quelques efforts d'étirement et de contorsion, j'y suis enfin parvenu. Ensuite, un peu mal à l'aise dans cet accoutrement, je me suis dirigé vers le studio pour y rencontrer celle qui allait être mon guide dans les activités de *bungee*, la très dynamique Tatiana.

Ses collants en spandex noir et son débardeur bleu et blanc laissaient entrevoir suffisamment ses muscles abdominaux pour que j'en conclue que j'étais d'un niveau bien inférieur au sien.

– Bonjour Frank! a-t-elle dit avec un sourire épanoui, avant de se lancer illico dans le vif du sujet. Cinquante pour cent des gens qui s'essaient n'arrivent pas à toucher la barre. Elle a pointé un trapèze blanc suspendu à une grille semblable à celle sur laquelle j'avais marché avec René quelque temps auparavant. Seuls 20 % parviennent à se hisser et à s'asseoir dessus. Alors, allons-y, essayons d'y monter. Qu'en dites-vous ?

En feignant la confiance d'un garçon de 14 ans à sa première sortie avec une fille, j'ai répondu : «Ah... d'accord!»

– OK, allons travailler Frank! a-t-elle lancé.

Je l'ai suivie jusqu'à une salle d'exercice voisine, où un plus gros trapèze métallique pendait à quelque deux mètres et demi du sol.

– Maintenant, a-t-elle indiqué, agrippez-vous à la barre.

J'avais des doutes. Sauter... avec ma taille de 1,67 m, hum! J'avais déjà de la difficulté à soulever les pieds du plancher dans mes meilleurs jours. Mais Tatiana était dans l'expectative, debout devant moi, les mains sur les hanches. Je ne pouvais me permettre de manquer mon coup. Je me suis donc accroupi, j'ai sauté aussi haut que je le pouvais et j'ai agrippé la barre de justesse. Une autre mini-victoire.

– Très bien! m'a félicité Tatiana. Maintenant que vous êtes accroché au trapèze, vous devez balancer les jambes de l'avant vers l'arrière, et lever votre pied le plus fort pour le poser sur la barre. Dès que votre pied y sera, tout sera plus facile. Il vous suffira ensuite de passer les deux jambes entre la prise des deux mains, d'attraper la barre derrière vos genoux et de tirer sur les câbles pour vous soulever.

Avec un peu d'aide de Tatiana, j'ai réussi à grimper sur le trapèze et à m'y asseoir, puis j'ai tout de suite jeté un coup d'œil au plancher, à quelques mètres plus bas.

– Ça va! Ça suffit! a-t-elle dit. Je veux que vous conserviez vos forces pour la véritable épreuve.

Elle avait peut-être été mise au courant de mon échec à la corde avec Ivan.

En retournant au studio principal, j'ai regardé au plafond et le vrai trapèze m'a paru bien plus haut et plus petit qu'il ne l'était quelques minutes auparavant. René m'attendait pour fixer mon harnais de sécurité. Il a serré la ceinture à un trou ou deux de plus que ce que j'aurais souhaité, compressant les quelques kilos en trop qui, d'habitude, pendaient par-dessus mon pantalon. Mais après mes diverses sessions de conditionnement, j'avais laissé tomber tout sentiment de vanité. J'en avais même conclu qu'il fallait mettre tout cela de côté pour vraiment prendre mon envol.

Ensuite, on a fixé ce qu'on appelle des *bungees* à mon harnais à l'aide de mousquetons d'alpinisme. Je me suis retrouvé avec cinq grosses bandes élastiques de chaque côté. Puis on a commencé à me hisser à l'aide d'un autre câble fixé à une poulie.

– Bon voyage Frank! m'a lancé René.

Après une ascension d'environ sept mètres, ce qui ne me semblait pas excessif, jusqu'à ce que je me retrouve suspendu à cette hauteur, et sans rien d'autre que le vide pour me séparer du plancher. J'ai remarqué que les artistes qui s'entraînaient sous moi s'étaient tous arrêtés pour me regarder. Plus je montais et plus ils rapetissaient à mes yeux. Mais avant que je ne me sente trop gêné, ils semblaient déjà tellement loin que tout cela n'avait plus aucune importance.

– Maintenant Frank, dit Tatiana avec insistance, vous devez commencer à sauter pour atteindre le trapèze. Tirez sur les *bungees* en remontant les genoux jusqu'à la poitrine. Très bien, comme ça!

Je me suis mis à rebondir de haut en bas, de un, de deux, puis de trois mètres et plus, jusqu'à ce que la sensation d'apesanteur s'installe et, avec elle, la désorientation qui donne l'impression de ne plus être retenu par quoi que ce soit, de flotter et de voler librement. Mes mains serraient si fort les *bungees* que mes jointures blanchissaient. En étendant mes sauts jusqu'à 5, puis 10 mètres, j'ai constaté que je remontais étonnamment près du trapèze et retombais dangereusement proche du plancher. J'ai compris que je n'avais jamais vraiment saisi ce que pouvait être la peur du succès avant ce moment-là. Mais plus je m'approchais du trapèze et plus je pressentais que Tatiana allait bientôt me commander de lâcher les *bungees* pour tenter d'atteindre la barre, une idée qui me donnait froid dans le dos.

– Encore trois bons sauts, Frank et ça y est! a crié Tatiana.

J'avais cessé de regarder en haut et en bas, et mes yeux restaient fixés droit devant. Je ne savais quelle était la distance qui me séparait du trapèze, et je ne voulais plus le savoir.

– Maintenant Frank, allez-y, attrapez la barre! m'a crié Tatiana.

Faisant fi de mon instinct de survie, j'ai lâché les bandes élastiques, devenant totalement dépendant du harnais que René et Tatiana m'avaient installé. J'ai tenté d'atteindre la barre, mais je ne l'ai aperçue qu'une fraction de seconde avant le moment où j'aurais dû la saisir.

Si vous avez envie de sentir le cœur vous monter à la gorge, essayez d'attraper un trapèze à 13 mètres dans les airs quand il est juste un peu trop loin, puis faites une plongée vertigineuse vers le sol une fraction de seconde plus tard, à peine le temps de vous demander si votre harnais est aussi sécuritaire qu'on vous l'a assuré. Après 10 mètres en chute, j'ai senti revenir la tension des élastiques de *bungee*, qui m'ont aussitôt renvoyé jusqu'à huit mètres de haut, où je suis resté immobile, me balançant doucement, mais en sécurité.

– C'était proche Frank! a souligné Tatiana. Maintenant, vous pouvez le faire!

J'ai repris tout le processus de rebondissements et de tractions sur les *bungees* en remontant les genoux sur la poitrine, et, comme la hauteur que je réussissais à atteindre à chaque traction, mon rythme s'était amélioré.

– Encore trois tractions, Frank! m'a encouragé Tatiana, pendant que tout le monde surveillait d'en bas.

– Une! Deux! Trois! Allez-y, dit-elle. Étirez-vous!

Encore une fois, malheureusement, j'ai raté la cible de peu. Il semblait évident que j'avais peur de dépasser le trapèze, ou de l'attraper, peut-être. C'est incroyable ce qu'on peut avoir peur de l'inconnu, même quand cet inconnu représente la clé du succès pour nous. On est tellement déterminé à ne pas quitter sa zone de confort qu'on apprend même à vivre avec la déception, afin que les choses demeurent familières et sécuritaires.

Je savais que ce serait la leçon à tirer de cette session d'entraînement. Nos peurs nous empêchent souvent d'avancer et d'atteindre nos objectifs. Donc, ce n'est qu'en risquant qu'on peut espérer accomplir des choses extraordinaires.

Je regardais mes mains tendues en passant et repassant devant la barre blanche et en la ratant d'à peine quelques centimètres chaque fois, jusqu'à ce que je retombe au sol.

– O-o-o-o-oh! ont crié Tatiana et les spectateurs en chœur.

– C'était encore plus proche cette fois-là! a poursuivi Tatiana. Alors, essayons autre chose maintenant, pour reposer vos bras.

– Oui! me suis-je dit. Elle a sûrement discuté de mon essai à la corde avec Ivan.

Tatiana m'a ensuite demandé d'adopter une position stationnaire à environ huit mètres du sol, pour m'apprendre à culbuter en l'air.

– Frank, a-t-elle dit, vous devez pencher la tête et les épaules vers l'avant, étendre les bras vers l'avant comme Superman, puis basculer les jambes.

Cela m'a semblé assez facile, jusqu'à ce que je comprenne que je devais me fier entièrement à mon harnais pour défier la gravité. À cause d'une certaine retenue, je n'arrivais pas à atteindre la vitesse nécessaire pour que mon corps bascule vers l'avant. Cependant, en me rappelant que dans ce match entre le trapèze et moi, c'était 2-0 pour l'appareil, et que toutes les personnes sur place étaient avec moi, j'ai décidé de jouer de hardiesse et de sauter dans l'inconnu.

Ma tête s'est inclinée vers le sol comme par magie, mes jambes ont amorcé une révolution et mon corps a basculé par lui-même. Ç'avait fonctionné! Avant même que je puisse penser à ce que je faisais, c'était déjà fait!

– Bravo Frank! s'est exclamée Tatiana.

Elle n'a pas eu à me demander de le refaire. J'en avais désespérément envie et j'ai tout de suite recommencé. Trois fois!

– Maintenant, faites-moi un double salto! a dit Tatiana.

Elle n'avait pas fini de le dire que je relançais déjà mon corps en avant sans effort et que je me lançais tête première, créant un élan suffisant pour accomplir deux rotations complètes.

– Dans l'autre sens maintenant! a lancé Tatiana.

Là, c'était plus difficile. Il fallait que je lâche les cordes de *bungee* encore une fois, ce avec quoi j'étais maintenant à l'aise, mais relever les genoux et pencher la tête vers l'arrière pour amorcer un salto sans rien voir, c'était autre chose. Après un moment d'hésitation, j'ai retrouvé l'esprit d'aventure qui m'avait permis de réussir vers l'avant et hop! Voilà! J'avais réussi là aussi. Ensuite, comme je l'avais fait vers l'avant, j'ai complété le travail avec un double salto arrière.

Je n'avais pas encore parfaitement maîtrisé l'art des saltos en *bungee*, bien sûr, mais j'avais appris l'art de la triple confiance : en mon instructeur, en mon gréeur et en moi-même!

– Frank, êtes-vous prêt à reprendre le trapèze? m'a demandé Tatiana.

Avant même de lui répondre, j'avais déjà recommencé à sauter sur les *bungees* pour me préparer de nouveau à attraper le trapèze.

Tatiana était intelligente, elle savait que les saltos me redonneraient confiance, que cette fois je serais capable d'aller jusqu'au bout sans la moindre retenue. On a dit qu'un peu de folie peut mener loin, et je n'en manquais pas. Donc, je me suis dit que je n'avais plus aucune raison de craindre les hauteurs, que je n'aurais plus peur du trapèze, et que je me lancerais directement dans les sauts sans y repenser.

– Trois autres bons sauts et on y est Frank, m'a encouragé Tatiana. Et voilà le premier!

Je n'avais plus aucune intention de reculer, j'allais sauter plus haut et plus fort que jamais.

– Et de deux! Ça va très bien! a dit Tatiana.

Je tirais de toutes mes forces.

– Trois! Ça y est! Étirez-vous bien Frank... Étirez-vous!

Parvenu au point culminant de mon saut, à une dizaine de mètres dans les airs, j'ai levé les yeux et je l'ai bien vu. Il était là, devant moi, à peine à 50 ou 60 centimètres. Alors, sans plus écouter Tatiana, je me suis suffisamment étiré, j'ai saisi la barre d'une seule main et je l'ai retenue solidement. Ensuite, j'ai raffermi mon emprise en empoignant la barre de l'autre main pour me retrouver suspendu au trapèze, puis j'ai commencé à me balancer. Enfin, avant que Tatiana ne me dise comment terminer le travail, je m'étais soulevé et assis sur la barre. Je me balançais comme un petit fou en saluant les amis qui m'acclamaient 10 mètres plus bas.

Enfin, le temps était venu d'effectuer la phase la plus inquiétante de l'opération, sauter vers l'arrière pour quitter la barre en évitant que les *bungees* restent accrochés au trapèze. J'en étais arrivé à ce point-là parce que tout avait merveilleusement fonctionné. Alors, j'ai augmenté l'ampleur de mes balancements et je me suis mis à compter «Un, deux, trois... Go!»

Je me suis laissé tomber de la barre blanche vers l'arrière et ma tête a suivi une trajectoire arquée en chutant vers le plancher de deux, cinq, sept mètres, jusqu'au fameux «Boum!» Encore une fois, le harnais et les *bungees* venaient de me sauver la vie! Et en deux temps, trois mouvements, j'avais déjà regagné ma position précédente où je me balançais confortablement en souriant à mes amis d'en bas. Je serais incapable de vous dire à quel point je me sentais triomphant à ce moment-là.

Quand j'ai enlevé mon harnais, mon corps était presque aussi imbibé de sueur que lorsque j'étais descendu du tapis roulant. J'avais la langue sèche et l'impression d'avoir léché tout le sable de Las Vegas.

– Alors, comment c'était? m'a demandé Tatiana.

– Extraordinaire! ai-je répondu sous l'effet de l'excitation déclenchée par la fierté d'avoir dominé mes peurs et apprivoisé le trapèze. L'intensité de ce sentiment était semblable à celle ressentie lorsque j'avais eu le courage de convaincre Alan et Diane de me laisser venir au Cirque. Et déjà, je me demandais quand je pourrais remonter de nouveau sur le trapèze.

Ce soir-là, Diane est venue dans ma chambre pour voir comment j'avais tenu le coup.

– Comment vous sentez-vous? a-t-elle demandé.

– Fatigué, mais très emballé aussi. Quelle journée!

– Je lis une euphorie que je n'ai jamais vue dans vos yeux auparavant, a-t-elle dit. C'est le genre de choses que je souhaitais y voir un jour lorsqu'on s'est rencontré au théâtre de KÀ. C'est le pouvoir du cirque, de l'imagination, mais c'est surtout la force d'attraction du Cirque du Soleil, tant pour nous qui y participons que pour les spectateurs. On transforme l'ordinaire et l'insignifiant en quelque chose d'unique, d'inoubliable, quelque chose qui touche le cœur et transforme la vie des gens. Je crois qu'on a tous ce pouvoir, peu importe ce qu'on fait. Toutefois, on ne le découvre que si l'on fait appel à ce que vous avez découvert ici aujourd'hui au sujet du risque, de la collaboration et de la confiance.

Vous devez accepter de quitter votre zone de confort et de vous aventurer par-delà ce dont vous vous croyez capable. Au Cirque, on utilise notre corps et nos réalisations pour y arriver. C'est là une des raisons pour lesquelles j'ai accepté que vous veniez voir le Cirque du Soleil de l'intérieur. En tant qu'ancien athlète, je savais que vous seriez capable de vous y intégrer. Bien sûr, on n'a pas besoin d'être un athlète ou un artiste pour réorienter sa vie... ou son monde.

Diane m'a félicité pour cette première journée très bien réussie, puis m'a quitté sur ces mots :

– Maintenant, allez refaire vos forces, vous en aurez besoin demain !

chapitre 5

Sous la surface

On veut que vous fassiez des erreurs

A u réveil, le lendemain matin, il m'a fallu quelques instants pour me rappeler où j'étais. Mes muscles et articulations endoloris ont vite fait de me ramener à la réalité. Au sortir d'une bonne douche chaude, j'avais à peine fini de m'habiller qu'on frappait à ma porte. J'ai ouvert à Cari, debout devant moi avec un sourire enthousiaste qui lui couvrait le visage. Elle venait m'annoncer qu'elle avait réservé sa journée pour me voir franchir le rigoureux parcours du Cirque du Soleil. J'étais à la fois flatté et gêné, parce que cela m'a soudain rappelé que, depuis tant d'années, je ne soutenais pas mes protégés de cette façon-là. En fait, je n'avais jamais rendu ce genre de service à mes clients.

Alors elle a dit : «Êtes-vous prêt?»

Ce à quoi j'ai répondu : «On va voir.»

Diane avait tout arrangé pour que je travaille avec nulle autre que la conceptrice des maquillages du Cirque. Au départ, je n'avais pas tellement envie de passer trois heures assis dans un studio de maquillage. Puisque je n'avais aucune intention de me joindre à l'une des troupes de spectacles, je n'en voyais pas la nécessité. Diane m'a expliqué que le maquillage faisait partie intégrante de la formation de chaque artiste du Cirque, de sa préparation en vue de bien marquer le passage de sa vie quotidienne à la vie d'artiste sur scène. Autrement dit, c'est une bonne façon d'extérioriser une créativité plus fondamentale. Par contre, le maquillage n'est pas seulement un moyen pour cacher sa figure et dissimuler ses défauts, c'est aussi une façon de présenter une autre image de soi au monde extérieur.

Nous nous sommes rendus au bâtiment principal, Cari et moi, en vue de ma séance de maquillage avec mademoiselle Claudia, une charmante dame aux cheveux bruns courts, probablement dans la trentaine avancée. Pour la session en studio, elle m'a invité à m'asseoir sur un tabouret, entre un colossal athlète ukrainien et une toute petite Chinoise.

– On a parcouru tous les ouvrages photographiques des personnages du Cirque et on en a choisi un qui devrait vous convenir, m'a dit Claudia.

Elle a alors pris un classeur à anneaux sur une étagère et l'a ouvert à une page consacrée au spectacle *Quidam*, l'un des spectacles en tournée, puis elle m'a montré le personnage de la roue allemande en me précisant :

– C'est le visage qui ressemble le plus au vôtre en matière de structure osseuse, et j'ai été attirée par l'énergie qu'il dégage. Une figure ouverte qui exprime l'excitation, comme vous-même, d'après ce qu'on m'a dit. Qu'en pensez-vous ?

Le personnage en question portait un chapeau melon turquoise sur sa tignasse de cheveux blonds. Sa figure était blanche rehaussée de sourcils d'un bleu électrique et de pommettes rouges. Son allure plutôt voyante mais méticuleusement exécutée m'a tout de suite conquis.

– Alors, a dit Claudia, allons-y !

Elle s'est d'abord mise à tourner frénétiquement les pages du catalogue maintenant déposé sur le comptoir pour retrouver la recette de cette exécution spectaculaire, tout en me disant :

– On a créé ce système il y a quelques années pour que chaque personnage reste toujours le même le plus longtemps possible, bien qu'on doive parfois remplacer l'interprète, évidemment. Il faut aussi savoir que l'individualité tient largement sa place dans chaque rôle, et que la même formule de maquillage ne produit pas nécessairement une apparence identique à chaque application.

Je n'avais jamais réalisé un maquillage de ma vie. Même pour me déguiser à l'Halloween dans ma jeunesse, je ne choisissais jamais un visage exotique ou macabre comme mes amis, je préférais une tenue plus sobre avec chandail et casque. La seule trace de maquillage que j'acceptais, c'était un peu de charbon sous les yeux. C'était bien différent de tout ce qu'on utilisait ici.

Claudia a alors réuni tout ce dont elle avait besoin pour me donner un nouveau visage : les couleurs, les pinceaux, les éponges, etc. Pour les artistes, le défi consiste à apprendre à reproduire eux-mêmes le maquillage prévu pour leur personnage, que ce soit en tournée ou ailleurs. Et surtout d'être capable de le faire même s'ils sont très loin de Claudia.

– Comme vous voyez, a-t-elle dit en trempant une éponge triangulaire dans un petit contenant de plastique rempli d'une matière blanchâtre, on va commencer par appliquer une base blanche sur le front, les sourcils et le nez, puis autour de la bouche et du menton... Comme ceci! Maintenant, essayez de le faire vous-même.

J'ai commencé à appliquer le maquillage sur mes joues, mais j'avais beaucoup de difficulté à imprégner l'éponge de la quantité requise pour une répartition égale.

– Attention! m'a-t-elle prévenu, il ne faut ni traîner l'éponge ni presser trop fort, Frank, sinon vous allez étirer la peau. Si vous faites ça tous les jours, vous aurez l'air vieux avant l'âge!

Pendant que je mettais en pratique la bonne méthode pour appliquer le blanc, Claudia s'est mise à me parler de sa vie :

– Quand j'ai dit à ma mère que j'avais l'intention d'exercer cette profession-là, elle a éclaté de rire! Je m'étais emballée pour tellement d'autres choses auparavant : le ballet, la danse, le patinage, la sculpture, etc., qu'elle ne me croyait plus. Pourtant, cette fois-là, c'était vrai. J'ai suivi des cours dans le milieu du théâtre, où j'ai appris comment le maquillage pouvait être le complément de tous les autres éléments comme les costumes, l'éclairage, la mise en scène, etc. J'ai essayé bien des visages différents avant de trouver celui qui me convenait le mieux. Maintenant, j'aide les autres à obtenir le même résultat. Selon moi, c'est exactement ce que doit toujours être l'emploi idéal. Un harmonieux mélange de ses talents et de ses passions. En tout cas, c'est ce qui nous donne, à moi comme à tous ici, l'énergie de toujours essayer quelque chose de nouveau, quelque chose d'inédit.

Claudia m'a alors fait signe de m'arrêter.

– OK! On va d'abord mettre un peu de poudre blanche sur votre visage. Le fond de teint approprié est l'un des éléments critiques de votre personnage, mais c'est aussi l'un de ceux que les artistes négligent trop souvent. Quand on se permet de lésiner là-dessus, le maquillage est parfois neutralisé par un éclairage trop puissant, qui atténue la couleur et laisse entrevoir la peau.

– Combien de temps faut-il pour que les artistes apprennent à bien le faire ? a demandé Cari qui, fascinée par les possibilités qu'elle entrevoyait, continuait à feuilleter l'un des catalogues de maquillage.

– La première fois, c'est très difficile, a répondu Claudia, ça peut prendre trois ou quatre heures. Évidemment, peu d'artistes comme vous peuvent rester assis et tranquilles aussi longtemps, on vous a tous appris à bouger. Certains appréhendent tellement leur session de maquillage qu'ils ont peine à dormir la nuit précédente, et pourtant, ces mêmes individus n'ont pas peur d'exécuter des triples saltos sur un trapèze volant devant 2 000 spectateurs !

À ce moment précis, j'étais parfaitement capable de comprendre ces gens-là. J'observais Claudia en train de tracer une ligne avec une substance appelée Peacock LU-19 en travers de mon sourcil droit, puis rétrécir ensuite graduellement la pointe supérieure à presque rien sur moins de trois centimètres. En fait, en la voyant dessiner un trait aussi précis et fuyant sur mon sourcil, j'étais convaincu de ne jamais pouvoir atteindre ce même degré de précision.

Quand j'ai essayé de le faire sur mon sourcil gauche, j'ai peint une espèce de grosse tache bleue affreuse et informe. Découragé, j'ai déposé mon pinceau avec un profond soupir.

Puis, en me rappelant que Claudia avait une longue expérience dans ce domaine-là, j'ai compris que j'avais peu de chance de réussir du premier coup, alors j'ai repris mon pinceau pour recommencer.

Quand j'ai eu terminé, on a examiné mon gâchis dans le miroir, Claudia et moi, et j'ai bien dû admettre que c'était mauvais.

– OK! Ce côté-là est plutôt manqué!

– Il ne faut pas vous inquiéter, m'a-t-elle rassuré. C'est important que les artistes fassent leurs erreurs ici, pendant qu'on est là, sinon ça va inévitablement arriver en tournée, quand on n'y sera pas. Et puis, après tout, en matière de maquillage, il n'y a pas d'erreurs, mais des façons différentes d'atteindre un look.

Je savais que Claudia avait raison. Les plus grands défis de ma carrière étaient survenus quand Alan n'était pas là pour me tenir la main. Tout ce qu'il avait pu faire, c'était m'enseigner ce qu'il savait lui-même et me faire confiance sur la façon d'utiliser ces connaissances.

Encore une fois, Claudia m'a fait signe de m'arrêter pour me dire :

– Quand vous tracez ces traits-là, il ne faut pas suivre les lignes naturelles de votre visage, qui ne sont que de faibles traces laissées par les mouvements de votre figure. Tenez! Je vais vous montrer.

Prenant un pot de plastique contenant un ingrédient appelé Brick Red DR-5, elle l'a dardé avec un gros pinceau comme le ferait un peintre en bâtiment et m'a d'abord dit de sourire, puis de froncer les sourcils. Ensuite, sans s'occuper des lignes de mon visage, elle a dessiné le contour exagéré d'une bouche de clown dont elle a rougi l'intérieur au pinceau.

– Maintenant, souriez! a-t-elle dit.

C'est ce que j'ai fait. Et j'ai tout de suite constaté que ces lignes rouges accentuaient parfaitement mon sourire, à un point tel qu'on aurait pu le distinguer à au moins 60 mètres.

– Maintenant... froncez les sourcils, m'a-t-elle demandé.

– Extraordinaire! me suis-je exclamé, stupéfait de voir apparaître une mélancolie aussi prononcée que mon sourire était exubérant.

– Vous voyez? a-t-elle repris. Il suffit d'ignorer les lignes de surface pour s'en tenir aux positions des os et des muscles du visage. Parce que votre expression ne se situe pas *sur* la peau, mais *sous* la peau. Maintenant, essayez vous-même.

Contrairement à mes premiers essais avec les sourcils, cette fois, c'était réussi.

– Oui, a-t-elle dit, vous commencez à l'avoir. Vous n'essayez plus de cacher votre visage sous une couche de peinture. Vous essayez de faire ressortir l'essentiel de ce que vous êtes.

Ensuite, on s'est attaqué aux os des joues. Claudia a tâté mon visage pour bien situer le point saillant de ma joue droite, puis le point de rencontre où les trois principaux muscles faciaux forment une légère dépression au milieu d'un triangle. Elle a tiré une étroite ligne rouge sur le fond blanc, à partir de mon oreille jusqu'au centre de l'os de ma joue.

– L'os de la joue n'est pas droit, il est recourbé, a-t-elle expliqué, alors si vous couvrez cet os avec de la couleur, vous le faites disparaître.

Et, avant de compléter la ligne horizontale, elle l'a graduellement atténuée dans la région de mes fossettes, ce qui créait un effet inattendu.

Enfin, grâce à la technique que Claudia venait de m'enseigner, j'ai moi-même localisé le point de liaison de ma joue droite et les muscles qui s'y croisent, après quoi j'ai tiré une fine ligne rouge qui s'estompait graduellement comme si elle avait été tracée à l'aérographe.

– Excellent! a applaudi Claudia. Maintenant, les yeux! Vos yeux ne sont pas que les miroirs de votre âme, ce sont eux qui vous permettent de communiquer avec le public. La plupart de nos artistes ne s'expriment pas par la parole, alors on doit exagérer leurs yeux pour qu'ils projettent leurs sentiments. Et le Cirque est d'abord et avant tout une affaire d'émotion!

Le maquillage de mon personnage était constitué d'un fond blanc au-dessus et sous les yeux, d'un trait noir autour pour bien les faire ressortir, et d'un fard à paupières bleu.

– On veut que vos yeux paraissent plus grands sous les réflecteurs, m'a expliqué Claudia.

Faire confiance à quelqu'un qui nous maquille à quelques millimètres des yeux est plus difficile que je ne l'avais imaginé, mais j'ai décidé de m'en remettre à l'expérience professionnelle de Claudia. Et, aussi bizarre que cette opération m'ait d'abord parue, ce n'était rien, comparé à la sensation bizarre qui a accompagné ma propre tentative de le faire tout seul, autour de mon œil gauche. Mon œil a été secoué de clignements involontaires et ma bouche a refusé de se refermer. Alors, en me tapant légèrement sur l'épaule, Claudia s'est moquée :

– Frank, on est juste en train de faire le contour de vos yeux, pas de vous nourrir à la cuillère.

Naturellement, j'ai ri, et les muscles de mon visage se sont peu à peu détendus. On a souvent de la difficulté à accepter de faire confiance à quelqu'un d'autre, mais c'est étrangement moins difficile que de faire appel à sa propre capacité d'avoir confiance en soi.

Enfin, après avoir terminé le maquillage de mon œil gauche, j'ai pu observer mon travail très attentivement.

– Très bien Frank, très bien! a dit Claudia.

J'ai souri au miroir alors qu'elle faisait de même par-dessus mon épaule.

– Ce n'est pas le fait de réaliser son maquillage pour la première fois qui pose problème, m'a-t-elle raconté. Des artistes qui le font depuis des années deviennent éventuellement paresseux au moment de se maquiller. On nous envoie souvent des photos de nos artistes en spectacle. Et quand, à cause d'un relâchement quelconque, l'un de nos artistes perd sa créativité au point de compromettre sa capacité à rendre son personnage assez vivant, cette personne devient presque impossible à reconnaître.

Ces propos m'ont rappelé que, après 13 ans à mon poste, j'avais depuis longtemps pris l'habitude des raccourcis. Heureusement que je ne travaillais pas sur scène devant des milliers de personnes.

Alors j'ai demandé à Claudia :

– Comment vous y prenez-vous pour ranimer la passion et la créativité de ces artistes-là ?

– On se rend sur place, là où a lieu le spectacle, et on passe quelques jours avec eux. Mais on ne peut pas se contenter de leur taper sur les doigts et d'espérer qu'ils corrigent eux-mêmes la situation. On essaie de les aider à retrouver leur personnage. On doit être très patient et leur faire comprendre que le fait de créer eux-mêmes leur maquillage se rapproche de ce qu'ils font sur scène : on leur dit qu'ils doivent faire des triples saltos jusqu'à ce que ça devienne si naturel qu'ils puissent le faire sans effort et sans y penser, et jusqu'à ce qu'ils se sentent assez libres pour se consacrer exclusivement à leur rôle, à la personnification de leur personnage et à la communication avec le public.

Le fait que la plupart d'entre eux aient été entraînés en tant qu'athlètes les rend souvent impatients quand vient le moment de se maquiller, mais nous avons utilisé leurs antécédents à notre avantage.

Après tout, ils sont très compétitifs. Ils veulent qu'on les juge et qu'on reconnaisse leurs réalisations. Alors, il y a quelques années, j'ai pris l'habitude de me présenter avec une série de trophées-pinceaux portant des inscriptions : Meilleur maquillage, Meilleure amélioration, Meilleur ombrage, Meilleurs yeux, etc. Et ça les a enchantés! On veut que nos artistes s'intéressent au processus lui-même, parce que s'ils s'en tiennent seulement aux directives du manuel du Cirque, ce n'est pas assez. Cela équivaut à simplement appuyer sur les bonnes notes d'un piano, au lieu de savoir jouer une belle mélodie avec beaucoup d'âme et de sensibilité. On leur dit clairement qu'on veut qu'ils fassent des expériences et des erreurs, qu'ils réconcilient leur propre personnalité avec celle de leur personnage. Et on leur apprend que, contrairement à un masque qui pourrait cacher leur personnalité, un bon maquillage ne peut que la faire ressortir.

En voyant mon visage dans le miroir, j'ai découvert que l'homme à la figure exagérément peinte qui me regardait en retour n'était pas le personnage que j'avais vu dans le catalogue de Claudia. C'était manifestement moi.

Frapper un coup de circuit

Puisque Cari avait prévu rencontrer plusieurs autres artistes à midi, pour discuter de leurs numéros, elle m'a promis de me rejoindre plus tard dans la journée. Donc, toujours maquillé, j'ai longé le corridor central pour me rendre à la cafétéria quand j'ai aperçu un petit homme en béquilles, sautillant sur une seule jambe, pendant que l'autre, retenue dans un plâtre aux couleurs

phosphorescentes, traînait derrière lui. J'ai remarqué
qu'il sautait plutôt énergiquement pour un handicapé.
Plus étonnant encore, sa coiffure était dominée par deux
couettes en forme de cornes, teintes en rouge. Pourtant,
le sourire communicatif qu'il affichait m'a rassuré sur
l'absence de toute malveillance chez ce drôle de diable.
Alors, en pointant ses cornes, je lui ai demandé :

– Sont-elles vraies ?

Il a répondu d'un air enjoué : « Qu'est-ce qui est vrai ? »
et, en pointant mon visage, il a demandé à son tour :

– Est-ce que ça, c'est vrai ?

Après une seconde d'hésitation, j'ai répondu :
« Absolument ! »

– Ah ! Ah ! a-t-il dit, alors vous savez pourquoi je suis
coiffé de cette façon-là. Pour provoquer, pour exciter, pour
amuser, quoi ! Quand j'aurai rencontré une centaine de
personnes avec une coiffure comme la mienne, je couperai
mes cornes. Mais, en attendant, je les garde.

– Que vous est-il arrivé ? l'ai-je questionné en désignant
son plâtre.

– Je me suis fracturé un os du pied, a-t-il répondu. Voilà
pourquoi je suis ici, en train de refaire mes forces et d'entraîner de nouveaux venus au lieu de jouer mon rôle dans
KÀ, à Las Vegas. Quand ça m'est arrivé, je me suis dit :
« Oh non ! Je vais devoir m'absenter du spectacle pendant
trois mois. » Mais j'ai décidé de faire du mieux possible et,
vous voyez, je suis capable de bouger !

Il a alors laissé tomber ses béquilles, a fait un salto
spectaculaire et, en retombant sur le bon pied, m'a dit
qu'il s'appelait Martin, qu'il venait de Québec et qu'il était
acrobate au Cirque depuis cinq ans.

– Je n'avais jamais pensé à travailler pour le Cirque,
m'a-t-il expliqué. J'étais seulement allé passer l'audition

pour exécuter certains éléments et m'amuser. Au début, en tant que gymnaste, je n'étais pas très fort en acrobatie. J'avais été entraîné pour des mouvements de gymnastique, alors certains trucs d'acrobatie plus fantaisistes m'étaient inconnus. Mais j'ai persisté. J'ai continué à m'exercer longtemps après que tous les autres étaient déjà rentrés chez eux. J'ai même essayé d'ajouter certains de mes trucs personnels à plusieurs éléments. Quand un entraîneur m'a demandé de faire un salto arrière, j'ai exécuté le salto arrière le plus fou que j'ai pu imaginer. D'ailleurs, je pense que c'est pour ça qu'on m'a accepté. J'en donnais plus qu'on m'en demandait.

C'est comme dans votre sport national, le baseball, a-t-il ajouté en imitant les gestes d'un frappeur au bâton, puis en faisant semblant de planter son pied dans le sol avant de frapper et, en agrippant sa béquille en guise de bâton pour s'élancer comme s'il était l'un des gros frappeurs des Yankees de New York.

– Parfois, on est retiré sur trois prises, a-t-il dit, et parfois on frappe un coup de circuit. Mais dans la vie, personne ne compte les fois où l'on a été retiré au bâton. On ne compte que nos coups de circuit. En réalité, n'importe qui peut finir par cogner une longue balle à l'extérieur du parc si on lui donne la chance de frapper assez souvent!

Ce que Martin venait de me dire me concernait personnellement. Quand avais-je cessé de frapper aussi fort que j'en étais capable parce que j'avais trop peur de commettre une erreur? Alan admirait mon audace. Par exemple, lorsque, dans une école bas de gamme, j'ai recruté un athlète collégial inconnu avant qu'il ne soit repéré par une équipe importante. Ou quand j'ai réussi à convaincre des commanditaires d'adopter des annonces plus farfelues pour que nos clients soient les vedettes de leurs campagnes publicitaires.

En s'élançant une dernière fois, Martin a accidentellement happé une plante dans le coin du corridor. Elle s'est retrouvée au sol, au milieu de la terre renversée sur le plancher.

– Vous voyez! s'est-il écrié en s'agenouillant pour remettre la terre dans le pot. Un autre coup de circuit de Martin et la foule est en délire!

Martin était une véritable dynamo, alors je lui ai demandé :

– Qu'est-ce qui vous emballe tant dans votre travail?

– Ça se résume à ceci, a dit Martin, en se penchant vers moi comme pour me souffler un secret. J'aime les défis, j'aime les changements et j'aime faire les choses à ma façon! Et pour toutes ces raisons-là, j'aime mon travail. Si un jour je découvrais que je ne suis plus heureux là-dedans, j'irais faire autre chose. Vous savez, on peut bien se cacher derrière tous ces visages empruntés, mais quand on est en scène, tout le maquillage au monde ne pourrait pas cacher l'insatisfaction. C'est aussi vrai dans la vie, n'est-ce-pas? Quand on se sent malheureux, on peut toujours faire autre chose. Il n'y a jamais de pièges définitifs dans la vie. Quand on a compris ça, on est libre d'accomplir des choses incroyables!

Et, avant même que je puisse lui répondre, Martin avait accroché ses béquilles à son pied non blessé et s'éloignait déjà le long du corridor en marchant... sur les mains!

Se réinventer

Diane avait pris rendez-vous pour que je puisse rencontrer l'un des nouveaux concepteurs acrobatiques jouant un rôle important dans l'élaboration d'un nouveau spectacle. Or, comme j'arrivais quelques minutes trop tôt, je me suis subitement trouvé en sa présence devant son bureau.

– Laissez-moi deviner, a-t-il fait en me voyant. C'est Claudia qui a fait le côté droit de votre visage.

J'ai ri. J'étais devant un jeune homme qui aurait tout autant pu surfer sur une vague en Californie que patauger devant moi dans la neige du Québec. Alors je lui ai demandé :

– Et pourquoi pensez-vous ça ?

– Eh bien, a-t-il annoncé, le côté droit est clair et net, mais quand je regarde votre côté gauche, j'ai l'impression de vous voir à travers une vitre graissée, aussi flou qu'Ingrid Bergman dans *Casablanca.*

On a ri tous les deux, puis il s'est présenté. Il s'appelait Lars, il était né en Californie. Pendant des années, il avait été assistant de production en cinéma, à Hollywood, jusqu'à ce qu'un ami l'emmène voir un spectacle du Cirque du Soleil sur la plage de Santa Monica.

– C'était la première américaine de leur tout dernier spectacle, et toute la ville était en effervescence, m'a-t-il raconté. Quand je l'ai vu, je me suis dit : «C'est le spectacle le plus génial que j'ai jamais vu.» Un débordement d'énergie, des costumes extravagants et de l'acrobatie purement avant-gardiste. J'ai présumé que j'étais trop vieux pour eux, j'avais déjà 28 ans, mais je me suis quand même dit : «Qu'est-ce que j'ai à perdre?» Alors j'ai enregistré une cassette de mes prouesses : des culbutes sur une plage, du break-dancing à Venice Beach et du surf sur des vagues gigantesques. Puis, j'ai expédié le tout à Montréal.

On m'a appelé deux semaines plus tard, a-t-il continué, et après deux semaines de plus, j'étais à Montréal pour l'audition. Deux autres semaines plus tard, j'y déménageais ! Et là, c'était exactement l'opposé de mon travail à

Hollywood, où personne ne semblait jamais pouvoir s'offrir un répit, et où toute idée nouvelle n'était que du réchauffé tiré d'un vieux film quelconque.

Trois mois après avoir expédié sa première cassette, Lars s'envolait déjà pour Tokyo où il allait exécuter des numéros aux mâts chinois et à la balançoire russe, dans le spectacle *Saltimbanco*.

– Mais ce que j'aimais vraiment, c'était la roue allemande! m'a-t-il confié.

Voyant que j'avais l'air intrigué, Lars m'a alors donné d'autres explications :

– Les mâts chinois sont des mâts qui s'élèvent depuis la scène jusqu'à quelque sept mètres de hauteur et sur lesquelles on fait des mouvements. Par exemple, on saute de l'un à l'autre ou on s'y agrippe en se tenant à l'horizontale, comme un drapeau. La balançoire russe, elle, est une rampe de métal semblable à celles qu'on utilise pour charger les camions, mais qui, soutenue par deux supports métalliques, permet de se balancer au-dessus de la scène. On se tient à trois ou quatre dessus, et quand ceux d'en arrière poussent la balançoire vers l'avant, le gars devant est projeté en l'air et fait des saltos dans le vide avant de retomber. C'est plutôt dangereux, mais vraiment génial.

Quant à la roue allemande, elle est composée de deux grands cerceaux métalliques parallèles, séparés d'une soixantaine de centimètres par des traverses métalliques. On y entre et, en se tenant debout, les jambes écartées comme l'homme de Vitruve de Léonard de Vinci, et en s'agrippant aux traverses, on peut faire toutes sortes de prouesses spectaculaires. On peut faire une roue latérale, courir à l'intérieur comme un hamster et la faire tourner comme si on pivotait sur son pied droit. Si on est très habile, on peut même la faire réagir comme une pièce de monnaie sur sa tranche. On la laisse descendre de côté vers le plancher puis on lui impose des mouvements concentriques pyramidaux semblables à ceux d'une pièce de monnaie en train d'atterrir au sol. Mais il ne faut surtout pas la laisser se déposer à plat sur le plancher, sinon on risque de se casser la figure! Donc, il faut être très fort et capable de demeurer en équilibre pour s'en sortir.

J'avais très hâte de l'essayer! Un gars de la troupe, originaire d'Allemagne, en a mis une à ma disposition. J'ai appris à l'utiliser le soir, tout seul, en m'amusant sur la scène après le départ des autres membres de la troupe de *Saltimbanco*. Mon vieux, tu aurais dû voir certaines de mes chutes! Je me suis tailladé la peau des jambes, brisé des doigts et des orteils, déchiré l'oreille et fracturé le nez. Mais ça en valait la peine! Après quelques mois d'entraînement, j'étais assez bon pour envoyer une autre cassette à Montréal.

La nouvelle que j'en ai eue, c'est qu'on me convoquait à Montréal afin de m'entraîner en vue de devenir le nouveau spécialiste de la roue allemande dans le spectacle *Quidam*. Quelques mois plus tard, je faisais partie de cette nouvelle troupe.

Bon nombre des gens que j'ai rencontrés au Cirque semblaient ressentir le besoin de se renouveler, d'essayer de nouvelles choses par eux-mêmes, sans avoir l'assurance que leurs efforts seraient un jour récompensés.

– Bientôt, je débordais d'idées nouvelles pour toutes sortes de prouesses acrobatiques, de nouveaux numéros, de nouveaux exploits et de nouveaux appareils, a poursuivi Lars. Autant l'atmosphère d'Hollywood avait éteint mon imagination, autant celui du Cirque l'avait rallumée.

– Qu'est-ce qui a fait la différence? me suis-je
étonné.

– Je ne sais pas! Peut-être que les nouvelles idées
parviennent toujours à se rejoindre ici. Il y a tellement de
gens différents, venant de milieux divers et apportant des
concepts nouveaux. Les suggestions atteignent aussi un
degré de réceptivité extraordinaire au Cirque. Les bonnes
idées et les bonnes personnes se rendent jusqu'aux étages
supérieurs, sans égard à l'ancienneté ou aux interventions
politiques.

Quand j'ai appris que le Cirque planifiait un nouveau
spectacle basé sur les sports extrêmes, a continué Lars, je
tenais à en faire partie. Les responsables de la distribution
connaissaient bien mon dossier, et ils m'ont demandé si je
voulais être en scène. Très bien, mais j'avais surtout envie
de participer à la création et de développer de nouvelles
idées pour ce spectacle-là. «D'accord, m'ont-ils répondu.
Mais il faudra faire vite parce qu'on doit décider dans
quelques semaines.»

J'avais énormément d'idées en tête. Beaucoup trop!
Alors j'ai basé ma préparation sur ce que j'avais appris en
Californie et à Tokyo. Quand j'avais une quinzaine d'années,
j'ai vécu à Mendocino un tremblement de terre d'une
amplitude de six sur l'échelle de Richter. Ce séisme était
fort particulier, car il n'avait pas remué la ville dans tous les
sens, il s'était simplement déplacé en grondant le long de
la surface terrestre. J'ai puisé au cœur de cette expérience
pour trouver des idées pour un nouveau numéro.

J'ai regroupé mes idées dans une maquette fabriquée
avec une centaine de dollars de matériaux, puis j'ai
travaillé jusqu'à cinq ou six heures du matin pendant une
semaine pour monter le tout. Après quoi j'ai enregistré
une autre vidéocassette d'une quinzaine de minutes que

j'ai expédiée à Montréal. Dix jours plus tard, elle avait déjà été acheminée jusqu'à la haute direction du Cirque! Et bientôt, avant d'avoir eu le temps de me ressaisir, je m'installais ici, dans mon nouveau bureau au siège social international du Cirque, à Montréal, avec tout ce qu'il me faut pour mettre mes nouvelles idées à l'essai. Maintenant, qui sait ce que je vais imaginer?

Selon Diane, tu auras la chance d'essayer certains de nos équipements toi-même.

Ne dois-je pas te revoir plus tard dans la journée pour essayer la roue allemande?

Éveiller ses sens

De retour dans ma chambre pour me démaquiller, j'ai essayé de me rappeler ce que Baudelaire disait au sujet des rêves, à savoir que très peu d'hommes sont capables de rêves magnifiques. À mon avis, Lars faisait certainement partie de cette minorité. Il avait le courage de poursuivre ses rêves. En dépit des embûches sur son chemin, comme le manque d'argent, de temps et de ressources, il ne s'était jamais arrêté. Il avait toujours refusé de se considérer comme un simple athlète et travaillé en solitaire pour créer de nouveaux numéros d'une originalité étonnante. C'était une leçon dont tout le monde pouvait tirer profit, et qui venait renforcer ce que Diane et plusieurs autres m'avaient dit au Cirque : qu'il n'y a pas de limites, que tout est possible, et que si l'on y croit et qu'on vit selon ce principe, on peut accomplir des choses extraordinaires.

Ma prochaine activité consistait à me prêter à un moulage de tête, ce qui m'inquiétait énormément. Il fallait que je laisse les techniciens du Cirque m'enduire la tête et le visage de plâtre, rester ainsi une demi-heure, tout cela pour qu'ils puissent ensuite me créer un modèle semblable à ceux que j'avais vus lors de ma première visite au siège social du Cirque du Soleil, me laissant guider par Diane.

Je l'avais suivie dans un corridor peuplé d'une rangée de têtes de plâtre blanc disposées sur des étagères le long du mur. Je me suis souvenu que la netteté des lignes de ces masques m'avait, sur le coup, rappelé la réponse de Michel-Ange quand on lui avait demandé comment il avait conçu l'une de ses plus magnifiques sculptures, le célèbre David : «Parfois, avait-il dit, la forme qu'on veut créer existe déjà, alors je n'ai eu qu'à enlever tous les éclats de marbre qui ne faisaient pas partie de David.»

Selon ce principe, en réfléchissant à la forme qu'avait prise ma propre vie et à ce que j'aurais pu en faire pour qu'elle soit conforme à mes désirs, je me disais qu'il aurait peut-être suffi de faire voler en éclats tout ce qui ne faisait pas partie de moi.

Le jour de la visite, en constatant que chaque tête était accompagnée d'un nom, je m'étais approché.

Voyant sans doute mon regard inquisiteur Diane s'était empressée de répondre à mes interrogations :

– On utilise ces plâtres-là pour conserver les dimensions de la tête et la physionomie de chacun de nos artistes.

– Vous voulez-dire leur taille de chapeau? ai-je demandé.

– Oui, c'est un peu ça ! Ça peut sembler curieux, mais chacun de nos couvre-chefs est précisément conçu en tenant compte des rôles que l'artiste peut être appelé à jouer. Chaque chapeau qu'il doit porter est sans aucun doute très élaboré, mais il faut qu'il soit parfaitement ajusté pour qu'il tombe quand il le faut, mais ne s'enlève pas au mauvais moment. On s'est rendu compte qu'il était plus pratique de conserver un moulage à notre disposition pour fabriquer ici même, à Montréal, les chapeaux de remplacement et les perruques dont nos artistes pourraient avoir besoin, où qu'ils soient dans le monde, plutôt que d'envoyer quelqu'un sur place, en Europe ou en Asie par exemple, chaque fois que la nécessité le commande.

Bien que très impressionné par l'esprit inventif qu'on déployait pour faire face aux problèmes au quotidien, je ne m'étais pas encore rallié à l'idée de me soumettre au processus du moulage. J'avais toujours été un peu claustrophobe, et l'idée d'être empêché de communiquer pour exprimer ce que je ressentais et comment je me sentais me terrifiait. C'est donc avec une certaine appréhension que je m'étais rendu à l'atelier d'accessoires pour le moulage.

J'ai pénétré dans un local qui avait des airs de salle de classe pour un cours d'artisanat. C'était rempli de grands masques d'un mètre et demi de haut, comme ceux qu'on voit habituellement dans un défilé du Mardi Gras. Un groupe d'hommes en t-shirts maculés de sueur s'affairaient à scier, mouler et à peindre les créations. Je suis passé dans une petite pièce entièrement blanche, si ce n'est un comptoir de couleur beurre d'arachides. Au milieu se tenait une femme mince portant un tablier jaune brillant. Elle était tellement couverte de poussière que j'ai d'abord cru qu'elle était blonde, mais j'ai plus tard découvert qu'elle avait les cheveux bruns.

– Je suis Vanessa, s'est-elle présentée en m'accueillant. Et voici Dolorès, a-t-elle ajouté en désignant, derrière moi, une dame d'un certain âge qui me saluait avec un sourire enfantin.

Vanessa m'a alors invité à m'asseoir dans un fauteuil, comme dans un salon de coiffure, face à une rangée de miroirs recouverts d'une mince couche de poussière de plâtre. Apparemment habituée de faire affaire avec des gens nerveux, elle m'a expliqué le processus d'une voix calme, apaisante.

– Comment vous sentez-vous Frank? Est-ce que ça va aller?

Je n'en étais pas du tout sûr mais, encore une fois, j'ai décidé de faire confiance à ses mains expertes, comme je l'avais fait avec René, alors j'ai répondu :

– Certainement! Je suis prêt.

– OK! Alors on peut commencer, a-t-elle lancé en préparant une espèce de calotte en latex ajustée à ma tête.

– Est-ce que bien des gens ont de la difficulté avec ça? l'ai-je interrogée nerveusement.

– Oh, quelques-uns! a dit Vanessa pendant que Dolorès et elle m'aidaient à enfiler la calotte. Voyez-vous cette fille-là? a-t-elle poursuivi en me montrant le moule d'une tête de petite fille sur le comptoir. Elle n'a pas l'air très à l'aise, n'est-ce-pas? Ses yeux sont fermés bien serré et son visage est rigide, tendu. Quelqu'un tentait de la faire se relaxer en lui parlant chinois. Et puis, on a eu un adolescent brésilien qui demandait qu'on le laisse voir pendant qu'on procédait au moulage. On l'a accommodé en perçant des trous pour les yeux, ce qui a rendu notre travail bien plus difficile. C'est même devenu comique parce que, pendant qu'on travaillait, ses yeux n'arrêtaient pas de se balader dans toutes les directions, comme dans une scène d'un film d'espionnage. Et nous, on devait rester concentrés sur notre travail pour ne pas éclater de rire!

J'ai souri en m'imaginant la scène, ce qui m'a aussi aidé à comprendre pourquoi j'avais si peur. L'idée d'être privé de mes sens, ne serait-ce que quelques minutes, me déconcertait. Peut-être parce qu'une grande partie de ma vie avait reposé sur le besoin de dire ce que je voulais quand je le voulais. Mais l'idée de devoir rester assis, immobile et silencieux pendant une demi-heure me déstabilisait aussi. Alors, en tentant de camoufler mon appréhension, j'ai demandé à Vanessa :

– Quelqu'un a-t-il déjà décidé de se retirer avant la fin ?

– Oui, c'est arrivé parfois ! a-t-elle reconnu en ajustant délicatement la calotte de latex sur ma tête. Occasionnellement, une personne devient claustrophobe et demande qu'on la libère. Mais je pense que ça va bien aller pour vous.

Après avoir recouvert la calotte d'un lubrifiant pour empêcher que le plâtre ne colle, Vanessa et Dolorès ont commencé à verser leur épais mélange sur ma tête et j'ai été agréablement surpris de ne ressentir qu'une confortable fraîcheur. Ensemble, elles ont versé du plâtre partout sur ma tête, mes oreilles, mon cou et mon visage.

Avec les yeux couverts, je sentais bien, à la force de ses doigts, que Dolorès couvrait mon côté droit, pendant que Vanessa, avec sa touche plus délicate, étendait le plâtre sur mon front. Moi, je respirais par le nez en gardant mes sourcils et mes lèvres parfaitement immobiles.

Le plâtre débordait sur mon visage, ce qui me donnait l'impression de m'enfoncer lentement et paisiblement dans l'eau. Toutefois, dès que je me suis rendu compte que ma tête était entièrement recouverte, une vague de frayeur a déferlé en moi, mon pouls s'est accéléré tout comme le rythme de ma respiration. Instinctivement, je me suis agrippé aux bras de mon fauteuil. J'étais incapable de voir et de parler. Juste au moment où je croyais que j'allais craquer, quelque chose de très étrange s'est produit. J'ai abandonné le combat et, peu à peu, mon corps a été habité par un grand calme, tandis que je pensais à toutes ces choses que j'étais encore capable de faire.

Par exemple, je pouvais encore respirer. Alors, je me suis mis à noter le rythme de ma respiration et j'ai commencé à la contrôler, comme on me l'avait enseigné quand j'apprenais la brasse au collège. En respirant plus profondément, plus délibérément, je me suis automatiquement détendu. Plus je me relaxais et plus le besoin de mettre des mots sur ce que je ressentais disparaissait. Je me suis alors demandé combien de fois j'avais inutilement comblé le vide par la parole au lieu de laisser à mes idées silencieuses la chance de s'exprimer.

Je pouvais encore sentir. L'odeur de menthe du plastique caoutchouté me rappelait le protecteur buccal qu'utilisait mon orthodontiste quand j'étais adolescent. En fait, bien des expériences vécues au Cirque ont fait remonter en moi de puissants souvenirs. En de nombreuses occasions, j'ai eu l'impression de revivre mon adolescence, tout comme ses interminables séries de portes dont personne ne pouvaient prédire où elles conduisaient. Le retour de ces sentiments lointains engendrait souvent les sensations de timidité et d'embarras qui avaient hanté mon adolescence. L'idée de céder devant mes peurs n'était certainement pas une solution valable. Je devais continuer d'avancer malgré elles.

Par ailleurs, j'étais encore capable d'entendre, peut-être même mieux qu'avant. J'ai remarqué que la pièce musicale que la radio diffusait était interprétée par Lady Blacksmith, un groupe que Paul Simon avait choisi pour son album intitulé *Graceland*, devenu un classique. C'était durant l'hiver que j'avais entendu cet album pour la première fois. J'enseignais la natation à temps partiel dans une école privée, non loin de mon bureau actuel. J'avais beaucoup aimé cette occupation, mais je n'y avais plus repensé depuis une dizaine d'années. Pourquoi avais-je arrêté?

Je me rappelais aussi comment René avait affirmé qu'il pouvait détecter certains problèmes seulement en écoutant les bruits dans les gréements du théâtre. Je me demandais si, moi, j'en étais arrivé à ne plus entendre les sons qui m'auraient permis de saisir ce que les gens pensaient vraiment avant que les problèmes ne surgissent. Comment m'ouvrir les oreilles pour mieux entendre?

Plus le temps passait, plus j'entrais dans un état méditatif. Quand Vanessa m'a annoncé que le moment était venu de retirer le moule, j'aurais souhaité qu'elle prenne son temps pour que je puisse prolonger cette expérience. Pour la première fois depuis des années, je ne pensais pas à quoi répondre ou si j'avais l'air habile ou intelligent. Je me contentais de tout absorber, d'apprécier les sons, les odeurs et les sensations.

Suivre le courant

Après la session de moulage, je suis retourné au studio pour renfiler mes vêtements d'exercice et j'ai rejoint Lars au centre de la salle. Connaissant mon emploi du temps, Cari s'était postée au fond pour me regarder. Lars, lui, avait déjà commencé à s'amuser avec la roue allemande.

– Bonne nouvelle! a-t-il dit, tu as la taille parfaite pour la roue.

Enfin, me suis-je dit, mon mètre soixante-sept allait m'avantager!

Diane tenait particulièrement à ce que je m'entraîne à la roue allemande. Cela me permettrait de me rendre compte que je pouvais faire certaines activités presque sans effort, à condition de maintenir mon équilibre et un bon rythme. Elle m'avait expliqué que si l'on cherche à limiter ses pensées à quelques activités particulières, la roue allemande par exemple, notre esprit peut venir contrecarrer tous nos efforts. Mais si l'on fait confiance à notre imagination, la roue peut nous mener dans des directions tout à fait inattendues.

– Montre-moi ce que tu sais faire ! ai-je dit à Lars.

Je ne le considérais pas comme un m'as-tu-vu, mais je voyais bien qu'il aimait se produire en public.

Il a d'abord débuté avec quelques mouvements simples, pour se réaccoutumer à la roue, puisqu'il ne l'avait pas utilisée depuis un certain temps. En plaçant ses pieds dans les courroies de retenue, il m'a expliqué :

– Tu dois ancrer tes chaussures aussi solidement et profondément que possible là-dedans, parce que si elles devaient en sortir, tu serais en fâcheuse posture.

Puis, il a saisi les poignées au-dessus de sa tête, a adopté la position de l'homme de Vitruve de Léonard de Vinci, a incliné l'appareil vers l'avant et, lentement, il s'est mis à avancer et à reculer en faisant des roues latérales dans la salle.

Ç'avait l'air tellement facile.

Ensuite, Lars a enchaîné des mouvements circulaires avec la roue. Je n'arrivais pas à comprendre comment il faisait pour changer de direction, puisque sa position à l'intérieur ne semblait pas varier du tout. Il s'est mis à rouler sur le côté et à descendre lentement vers le plancher en tournant en spirale, jusqu'à ce que la roue se comporte comme une pièce de monnaie sur sa tranche. J'avais l'impression que Lars allait être projeté par gravité vers la chute et se casser la figure sur le plancher de bois franc, mais il a maintenu une posture parfaite. Sa position n'avait pas changé d'un poil ; il devait utiliser une force quelconque pour diriger ainsi la roue là où il le voulait.

Au moment précis où il ne semblait plus capable de contrôler le dernier mouvement, juste avant que la roue ne s'écrase à plat sur le plancher, Lars a sauté en dehors de l'appareil, s'est relevé, puis a lancé un cri et levé les mains en signe de triomphe. À côté de lui, la roue achevait ses dernières rotations.

– Fantastique! me suis-je exclamé en riant et en applaudissant à tout rompre.

– Ce n'est qu'un début! a-t-il répondu en faisant tourner la roue de 45 kilos aussi facilement qu'un léger cerceau de plastique tout autour de lui.

Il a sauté et a remonté au sommet de sa roue de deux mètres de haut où il s'est tenu sur les bras comme un gymnaste sur ses barres parallèles. Là, je suis resté bouche bée.

Pourtant, ce n'était pas tout. Après avoir tenu cette position un moment, pour reprendre son équilibre ou m'impressionner peut-être, Lars s'est balancé vers l'intérieur puis l'extérieur, par-dessus et autour de sa roue, en se dandinant dans tous les sens. Il ne répétait jamais les mouvements deux fois. Quand enfin j'ai cru qu'il avait épuisé tous ses tours, il s'est dressé, debout sur la roue, en équilibre parfait, et a levé les mains en criant, blagueur : «Regarde maman… Sans les mains!»

Ensuite, vif comme l'éclair et d'un seul mouvement, il a sauté du haut de la roue et, dans un atterrissage parfait, s'est retrouvé à l'intérieur, les pieds bien ancrés dans les courroies de retenue. Puis, les bras croisés, il a de nouveau fait une roue latérale, mais en n'utilisant que ses jambes pour se propulser! En avant, en arrière, en tournant, en retournant, il a répété plusieurs des mouvements qu'il avait exécutés quelques minutes auparavant. Cette fois, sans utiliser ses bras.

Il restait quand même un tour que Lars n'avait pas réitéré, sans doute parce qu'il ne pouvait pas l'exécuter sans les bras : celui de la pièce de monnaie. Mais voilà que, juste au moment où cette pensée m'était venue, il s'est agrippé à la poignée d'en haut d'une main et... s'est lancé dans ce mouvement ! La roue s'approchait dangereusement du sol en position quasi horizontale, puis elle s'est mise à tournoyer comme un derviche endiablé. Et enfin, Lars l'a fait tourner si vite, qu'il m'était devenu impossible de suivre sa tête des yeux sans m'étourdir. Il s'était transformé en un gyroscope humain !

J'avais de nouveau l'impression qu'il n'allait pas s'en sortir mais, une fois de plus, il a réapparu, triomphant, debout au centre de la roue qui effectuait ses derniers tours. Nul besoin du moindre cri de triomphe cette fois, l'exploit qu'il venait d'accomplir était assez éloquent en lui-même.

L'admiration m'a réduit au silence. En fait, j'étais un peu craintif, car je savais que mon tour était arrivé.

– Tu vois, ce n'est pas difficile ! a-t-il crié en me faisant signe d'approcher.

J'avais déjà vu tellement de choses qui paraissaient faciles pour un professionnel de niveau international, mais qui étaient très difficiles pour un amateur comme moi. Ma liste d'exemples ne cessait de s'allonger.

– Fais-moi confiance ! a dit Lars en voyant la frayeur dans mes yeux. Dès que tu auras maîtrisé l'équilibre, tout ira bien. Le truc, c'est de ne jamais te battre contre la roue, mais de travailler avec elle. Pour changer de direction, par exemple, il ne faut pas donner de coups pour la pousser dans une direction ou une autre, parce qu'elle va résister, mais toujours manœuvrer avec beaucoup de finesse.

– Très bien ! ai-je répondu en poussant mes pieds profondément dans les courroies et en m'agrippant aux poignées.

– Ah oui ! a ajouté Lars, comme s'il venait de se rappeler quelque chose. Le principal, c'est de ne jamais lâcher prise. Si tu te sens incapable d'éviter un obstacle, fonce dedans, c'est tout. D'ailleurs, tu seras bien plus en sécurité à l'intérieur qu'à l'extérieur de la roue. Car si tes mains ou tes pieds dépassent en tombant, tu peux te casser les doigts ou les orteils.

Je l'ai simplement regardé droit dans les yeux, mais je me sentais en état de le faire ! Jusque-là, j'avais relevé tous les défis qu'on m'avait proposés.

Sitôt installé dans la roue, je me suis lancé dans un mouvement de va-et-vient pour apprendre comment m'y prendre. Mais il m'a encore crié :

– Un autre conseil !

Sur le coup, je me suis senti comme une bonne poire devant un vendeur de voitures d'occasion qui lance et relance son baratin.

Il a poursuivi :

– Ton corps doit rester tendu et le plus plat possible. Tu vas voir, en concentrant ta force au niveau du tronc, de la poitrine et du ventre, tu vas augmenter ton contrôle.

Étonnamment, je me suis rapidement senti en sécurité dans l'appareil. Alors, je me suis mis à faire des roues latérales sur le sol à plusieurs reprises, dans un sens et dans l'autre.

– Très bien ! a lancé mon professeur. Maintenant, essaie de marcher dans la roue.

Imaginez un être humain en train d'imiter un hamster qui court dans sa roulette à l'intérieur de sa cage. Ça vous donnera une bonne idée de ce dont j'avais l'air là-dedans. Au début, j'étais hésitant, peu rassuré sur mes aptitudes, et la roue bougeait à peine, même si je tentais de mobiliser tous les muscles de mon corps.

– Comme je te l'ai dit, a repris Lars, tu dois avoir confiance en cet appareil-là et en toi-même. Plus tu vas aller vite, plus les mouvements dans la roue seront faciles. Avec la vitesse, la roue devient plus facile à contrôler, plus simple à diriger. Mais si tu continues comme ça, tu vas t'épuiser très très vite.

J'ai repris ma place dans la roue, mais, cette fois, j'ai cessé de me retenir. Je me suis penché vers l'avant et j'ai laissé la roue faire ce qu'elle voulait. Encouragé par Lars, j'ai lancé la grande roue blanche dans un mouvement rotatif sur le plancher... jusque dans le grand mur de béton blanc, au fond du studio. Je m'étais préparé à l'impact en me retenant solidement, et ça n'a pas été si terrible que ça! J'étais simplement tombé sur le derrière, mon attribut le moins vulnérable.

– C'est bien, ça! m'a dit Lars.

– M'as-tu vu frapper le mur? lui ai-je demandé en me relevant.

– C'est pour ça que j'applaudis! Il faut apprendre à frapper ou à tomber correctement! a-t-il répliqué. Sinon, il est impossible d'apprendre autre chose sur la roue allemande. Au début, on tombe ou on frappe presque tout le temps. Mon vieux, tu aurais dû voir certains des plongeons casse-cou que j'ai faits sur la scène de *Saltimbanco*. J'ai même envoyé ce petit joujou-là dans la cinquième rangée des gradins plus souvent que j'aimerais m'en souvenir. Mais dès que j'ai appris à rester bien ancré à l'intérieur de la roue, j'ai toujours été en sécurité. Après, j'ai cessé d'avoir peur de manquer mon coup et c'est là que tout est devenu amusant.

Je suis entré de nouveau dans la roue. Je me suis remis à rouler et là j'ai découvert qu'il avait raison! Au lieu d'avoir peur du prochain mur que j'allais rencontrer, je me suis simplement mis à explorer des mouvements, pour obliger la roue à faire ce que je voulais, en respectant les règles qu'elle impose, bien entendu. En me penchant un peu vers l'intérieur, je pouvais la faire rouler sur le pourtour d'un seul côté ; en me penchant vers l'avant, je pouvais la faire accélérer, et en me penchant vers l'arrière, la faire ralentir, ou même repartir dans la direction opposée.

– Maintenant, a dit Lars, tu es arrivé au moment d'essayer un « 360 ». Dès que tu seras capable de faire une pirouette complète sur toi-même à l'intérieur de la roue, tu vas pouvoir faire tout ce que tu veux.

Il m'a alors appris toute une série de manœuvres compliquées à exécuter avec les mains et les pieds, par exemple, saisir un côté derrière moi par-ici ou faire un petit jeu de pieds par-là, pour me retourner complètement à l'intérieur de la roue en mouvement, sans m'empêtrer ou perdre l'équilibre. Tout a débuté lentement mais, soudain, quand j'ai commencé à reconnaître les points d'équilibre et à les utiliser, j'ai pu me déplacer avec élégance au centre de la roue, alors qu'elle continuait à rouler sur le plancher.

– C'est ça ! C'est ça ! m'a encouragé Lars. Il ne faut pas la forcer ! Si tu l'aides, c'est elle qui va travailler pour toi. Là, tu fais ce qu'il faut ! Tu pourrais la contraindre à aller où tu veux, mais c'est tellement mieux d'apprendre à te laisser guider par la roue pour l'utiliser à ta guise.

En très peu de temps, j'en étais arrivé à pouvoir avancer, reculer, faire une roue latérale, la guider dans tous les sens, et tout ça en me mouvant à l'intérieur à ma guise. Je n'étais pas encore passé maître de la roue, bien sûr. Même avec la meilleure des chances, j'en avais encore pour des mois, voire des années. Mais cette nouvelle habileté était quand même une victoire sur mon ancienne façon de penser qui était d'opposer une force brute à un élément rébarbatif.

En abordant la roue avec patience et confiance, en apprenant à respecter son point d'équilibre, j'avais réussi à travailler avec elle, et non contre elle.

Voilà précisément ce que Diane avait voulu que j'apprenne. Il faut avoir suffisamment confiance en soi pour laisser notre imagination nous guider dans toutes les directions possibles. Si l'on veut vraiment atteindre son but, il faut accepter de tomber.

chapitre 6

Les lumières de Paris

Quitter sa zone de confort

Notre avion s'apprêtait à atterrir à l'aéroport Charles-de-Gaulle. Le nez collé au hublot, j'admirais la féerie des milliers de feux scintillant sous le ciel parisien du petit matin. On m'avait invité à la première parisienne de l'un des plus anciens spectacles du Cirque du Soleil, *Saltimbanco*. J'étais accompagné de Cari, qui allait séjourner dans la Ville Lumière quelques semaines pour apprendre l'art du double trapèze auprès des jumelles brési-liennes qui l'exécutaient dans le spectacle. Naturellement, elle était nerveuse et incapable de dormir. Elle avait passé les dernières heures à lire toute la documentation sur Paris que le Cirque lui avait préparée.

Diane m'avait demandé d'observer de l'intérieur ce «village ambulant», comme elle préférait nommer les sites de spectacles en tournée. Elle disait que jamais je ne pourrais saisir l'essence du Cirque tant que je n'aurais pas vécu le quotidien sur la route. Il ne pouvait y avoir de meilleure occasion d'expérimenter la vie du Cirque qu'une première dans une ville. Monter le Grand Chapiteau du Cirque dans un nouveau marché, m'a-t-elle dit, était toute une cérémonie. Et, puisque j'avais goûté à la culture du Cirque au studio au cours des trois dernières semaines, il était important que je sache comment tous les aspects de l'entraînement et de la préparation, du design et de la création, de la coordination et de la coopération s'amalgamaient à la vie quotidienne d'une troupe de tournée.

– Le studio est une sorte de pays des merveilles fascinant, a-t-elle dit, un endroit où nos artistes apprennent à libérer leur imagination de toute contrainte. Mais ils doivent tous laisser tomber la sécurité du studio pour faire face à la réalité souvent brutale d'affronter le public, 365 jours sur 365. En suivant l'un de nos spectacles en tournée, particulièrement *Saltimbanco*, vous pourrez constater par vous-même l'incroyable énergie qui transite entre l'artiste et le spectateur.

– Pourquoi *Saltimbanco*? lui ai-je demandé.

– De tous nos spectacles, c'est celui qui a roulé le plus longtemps, mais il est encore d'une incroyable fraîcheur a-t-elle commenté. Pour maintenir un spectacle en vie, on doit constamment s'interroger sur sa pertinence dans notre monde en perpétuel changement. Avant de décider qu'un spectacle doit s'installer dans une nouvelle ville ou un nouveau pays, on se questionne sur sa capacité à stimuler un auditoire. Nos équipes de création croient que *Saltimbanco* satisfait à tous ces critères, et c'est pourquoi, en 1997, on a décidé qu'il reprendrait la route après l'annonce de son retrait.

En quelque sorte, *Saltimbanco* est un microcosme du Cirque du Soleil lui-même. Dès sa conception, ses créateurs l'ont basé sur le thème de l'expérience urbaine, des diverses cultures évoluant ensemble dans un attrayant mélange de personnalités, d'événements et de musique. Le mouvement de ville en ville est un élément essentiel à la vie du cirque. Bien souvent, c'est quand ils ont quitté le confort de leur port d'attache que nos créateurs pondent les plus fascinantes idées.

Après avoir côtoyé un certain nombre des 3 000 employés et artistes provenant de 40 pays, qui ont fait du siège social international de Montréal leur véritable port d'attache, j'avais hâte de voir comment tous leurs efforts concertés parvenaient à créer un seul et même spectacle, une seule et même représentation. Au cours des semaines précédentes, j'avais rencontré un certain nombre de ceux que Diane appelait les «guides» du Cirque du Soleil, un groupe d'artistes, de directeurs de la création et artistiques, et un éventail d'artisans, de techniciens, d'employés maison et de professionnels du siège social qui participaient tous à l'harmonisation des diverses activités du Cirque. Pendant des semaines, Igor m'avait aidé à développer les capacités physiques de base pour exécuter des numéros acrobatiques; Lars et Tatiana m'avaient initié aux secrets de la roue allemande et du *bungee*, et j'avais rencontré des chefs cuisiniers, des contrôleurs de brevets, des avocats, des interprètes et des artisans de costumes et de perruques. Ensemble, ils m'avaient tellement ouvert l'esprit que je savais que je ne pourrais pas voir *Saltimbanco* avec les yeux qui m'avaient fait apprécier KÀ, à Las Vegas, quelques mois auparavant.

D'une certaine façon, je n'étais plus celui que j'avais été avant d'aller au Cirque. Quelque chose en moi avait changé.

Je ne pensais plus du tout que le monde n'était qu'une continuité monotone, toujours aussi prévisible au jour le jour. Au fil de mes conversations et de mes expériences, j'en étais arrivé à comprendre que la vivacité de chaque journée réside dans les possibilités qu'elle nous offre. J'étais de nouveau emballé par la vie qui s'ouvrait devant moi.

Je me suis mis à repenser à l'ordinaire de ma vie, à tout ce que j'avais toujours tenu pour acquis. Tous les jours, je portais le complet-cravate au travail. Pourquoi? Pour changer, j'aurais facilement pu me débarrasser de mes vieux complets et porter ce que je voulais. J'aurais pu modifier ma manière de traiter avec mes collègues et mes clients. J'aurais pu réinventer mon emploi en changeant ou en ne changeant pas de carrière ou de profession, peu importe. Toutes ces considérations me redonnaient de l'énergie aussi. Ce changement de perspective était peut-être léger, mais c'était quand même un vrai changement, comme si l'image terne de mon existence en deux dimensions devenait soudain un splendide panorama multicolore en trois dimensions.

Cette expérience me rappelait d'autres propos de Diane au sujet d'un autre de leurs spectacles, *Quidam*. C'est l'histoire d'une jeune adolescente plutôt désenchantée du monde qui l'entoure. Son père, vêtu d'un manteau et d'un chapeau melon semblant émaner d'un tableau de Magritte, se rendait tous les jours au travail en faisant la queue derrière plein d'autres gens d'affaires qui traversaient aussi la vie comme des somnambules. Sa mère regarde droit devant elle sans rien voir. Pour sa part, la jeune fille est fortement ennuyée, mais curieuse. Elle rêve à autre chose de plus enthousiaste, mais un peu hors de sa portée. Elle a donc imaginé un personnage, le mystérieux Quidam, un individu sans tête tenant un parapluie. Grâce à lui, elle a compris que tout ce qu'il fallait pour transformer son monde ordinaire en une aventure extraordinaire, c'était un peu d'imagination. Et de bons guides aussi, évidemment.

En ce qui me concerne, aux côtés de Diane, d'Igor et des autres, j'ai appris à m'ouvrir aux stimuli créateurs qui m'entouraient. J'ai perçu ce besoin de courir des risques, pas seulement de grands risques mais de tout petits, parfois, comme ceux que l'on prend tous les jours et qui ajoutent de la passion à notre vie. On m'avait aussi appris le secret de la confiance : confiance en ses amis, en ses collègues et en soi-même. J'avais clairement compris l'extraordinaire force que peuvent engendrer la collaboration et le travail d'équipe, ces éléments essentiels à la création et au développement de nouvelles idées.

Un trapéziste ne pourrait jamais s'envoler sans l'expertise des gréeurs et des entraîneurs. Une contorsionniste ne réussirait jamais à transporter son public dans un monde enchanté, sans la touche magique des maquilleurs et costumiers qui ont su marier les éléments nécessaires pour assurer la cohésion de sa prestation. En somme, chaque numéro, chaque mouvement et chaque moment magique résultent des efforts déployés par des centaines de membres de l'équipe.

Le lendemain matin, Cari et moi sommes arrivés aux installations du Cirque, dans l'immense terrain de stationnement d'une usine Renault désaffectée. L'endroit bourdonnait d'activité, et de cette agitation énergique dont Diane avait déjà parlé. Des monteurs, suspendus au faîte du chapiteau, se déplaçaient de haut en bas, lavant des panneaux de vinyle à l'aide de balais éponges pour éliminer la couche grisâtre qui les recouvrait, et dévoiler leur belle surface blanche.

D'autres ouvriers installaient les stands de souvenirs ou de restauration rapide. Plusieurs techniciens poussaient des portemanteaux mobiles chargés de divers costumes aux couleurs aussi variées et extravagantes que celles des plus beaux paysages d'automne du nord-est de l'Amérique. J'avais l'impression de pénétrer dans l'un de ces charmants villages d'autrefois, où une ribambelle d'ouvriers s'exécutaient dans un ballet multicolore et méticuleusement chorégraphié.

Nous avons ensuite déambulé, Cari et moi, le long du Grand Chapiteau, puis devant deux autres plus petits, le premier servant de hall d'entrée, et le second, de coulisses pour les artistes. Alors qu'un haut-parleur diffusait *A Touch of Gray*, de Grateful Dead, j'observais la séance de réchauffement des artistes. Certains en étaient aux étirements, d'autres jonglaient avec des balles, d'autres encore se mesuraient au fil de fer ou aux mâts chinois. Assis sur une malle, un homme fort, torse nu, parlait à un collègue tout en soulevant un haltère au-dessus de sa tête. Si on lui avait ajouté une moustache en crocs, on aurait facilement pu croire que ce bonhomme sortait d'un cirque traditionnel du XIXe siècle.

J'ai demandé à une cycliste où se trouvait le directeur artistique du spectacle, Maurice Morenz. Elle m'a pointé un homme vêtu d'une chemise à rayures rouges et blanches, debout devant ce qu'on appelait la cantine, c'est-à-dire une remorque servant de cuisine pour la troupe.

– Maurie-Mo! a-t-elle crié, t'as d'la visite!

– Bienvenue, mon ami! a-t-il fait en me voyant.

Quelques secondes plus tard, il me serrait la main et embrassait Cari sur les deux joues. Ensuite, il indiqua à Cari l'endroit où elle devait se rendre pour rencontrer son nouvel entraîneur, puis il m'invita à prendre le café en sa compagnie.

Diane m'avait dit que c'était le premier spectacle du Cirque à Paris depuis 16 ans. J'ai demandé à Maurice comment il se sentait et il a avoué être nerveux.

– Paris est l'une des dernières grandes capitales mondiales qu'il nous reste à conquérir. La pression pèse lourd sur nos épaules. La tradition du cirque est très présente ici, depuis des siècles. Si la première va bien, si le public apprécie le caractère particulier du Cirque, alors je pense qu'on aura de l'avenir ici. Par contre, si l'on n'emballe pas le public dès le départ, les trois prochains mois pourraient se révéler très longs et ennuyeux.

Étant donné l'histoire du Cirque et l'expérience des artistes, son anxiété me surprenait.

– Au contraire, mon ami! m'a-t-il lancé. On affronte nos peurs chaque jour. En fait, jusqu'à un certain point, on tient à avoir peur tous les jours pour pouvoir atteindre nos limites, et même les dépasser. Il faut qu'on se lance dans le vide du haut de la falaise pour pouvoir voler. Le plus grand danger ce n'est pas de tomber, mais de s'installer dans le confort, d'atteindre une certaine altitude, comme l'avion, puis de mettre le Cirque sur le pilote automatique. Paris est l'endroit tout indiqué pour nous mettre mal à l'aise. Sauf New York peut-être, je ne connais aucune autre ville du monde où l'on est aussi exigeant envers les artistes.

– Alors, comment faites-vous pour éviter de devenir trop confiants?

– On aime exposer nos artistes à d'autres groupes rencontrés au cours de nos pérégrinations, par exemple des jongleurs, des acrobates, des cracheurs de feu, des musiciens, des mimes, des marionnettistes, des artistes de cabaret, et même des troupes de danse et des écoles de cirque. On rencontre des groupes d'artistes dans chaque ville qu'on visite. Si l'on y trouve quelque chose d'exceptionnel, comme c'est souvent arrivé en Europe, on peut les inviter à organiser un atelier pour nos artistes, ce qui permet de maintenir nos gens en forme et prêts à affronter tout nouveau défi. Cela peut se faire aussi sous forme d'échange. On leur donne un atelier et ils nous en donnent un. Ou encore, on les invite à l'un de nos spectacles. Quand on était en train de développer KÀ par exemple, nous avons travaillé avec un groupe français, les Yamakazi. Ils nous ont aidés à développer le numéro des piliers géants, où nos acrobates sautent de l'un à l'autre. Ce groupe a aussi influé sur notre manière de grimper dans les passerelles qui s'avancent au-dessus de la tête des spectateurs. En somme, voilà qui illustre bien le dicton qui dit qu'on ne sait jamais vers quoi une rencontre fortuite peut nous conduire.

Personne ne le savait mieux que moi. Après tout, ma nouvelle aventure s'était enclenchée à partir d'une rencontre fortuite avec Diane. Je m'interrogeais pour trouver une formule quelconque afin de m'assurer la réceptivité requise pour profiter de telles rencontres à l'avenir. Je savais déjà au fond de moi que la réponse était de vaincre mes peurs, d'apprendre à faire suffisamment confiance aux autres pour partager mes idées avec eux, et de courir des risques.

Maurice m'a fait signe de le rejoindre dans la cuisine où se dressaient des tables multicolores sur lesquelles des gens de la troupe de tournée, des artistes, des membres du personnel de soutien et même leurs enfants, avaient peint des cartes de leurs pays d'origine, du Kansas au Kazakhstan. On s'est dirigés vers un comptoir où nous attendait un impressionnant assortiment de cafés et de thés exotiques.

En y jetant un regard, Maurice m'a dit :

– Avec le temps, j'ai appris que lorsqu'on en donne plus à nos artistes et employés de soutien, ils font de même en retour. Notre but est de rendre nos artistes le plus à l'aise possible sur le plan matériel pour qu'on puisse ensuite les déstabiliser et les mettre au défi sur le plan des idées. Plus nous agissons ainsi, plus ils s'attellent à leur tâche. Quand nos artistes se joignent à une troupe en tournée, ils ont souvent l'impression d'être les invités d'une aventure excitante qui les fait voyager aux quatre coins de la planète, rencontrer beaucoup de gens et visiter une multitude de villes étrangères. Après un certain temps, les plus intelligents comprennent que leur corps est un outil de travail qui a besoin d'être maintenu en forme et traité avec soin. Ils se rendent aussi compte que le rôle qu'ils interprètent constitue un point de départ. C'est leur investissement dans leur personnage qui compte le plus. C'est comme un acteur qui joue *Hamlet*, de Shakespeare. Ce rôle-là a été joué des milliers de fois par d'autres! Quand Kenneth Branagh l'a incarné, se serait-il permis de le jouer comme le grand Laurence Olivier l'a fait avant lui?

Faire de son mieux avec ce que l'on a

Quand j'ai pénétré sous le Grand Chapiteau, une trapéziste, Valesca, était en train d'enseigner à Cari comment ajuster sa prise de la barre du trapèze. Je suis allé me présenter à Johann, leur entraîneur qui, pendant qu'on les observait, m'a expliqué qu'il n'était pas en train d'évaluer la compétence de Cari, qu'il était encore trop tôt pour le faire.

– Ce n'est pas naturel pour Cari! a-t-il lancé, tandis qu'il lui faisait faire quelques balancés et passages de base. Ma première idée consiste à l'aider à bâtir sa confiance face au trapèze et envers son partenaire, ce qu'en tant que gymnaste de compétition elle n'a jamais dû faire jusqu'à maintenant.

Cari a alors saisi les mains de Julia, la trapéziste jumelle de la première, et qui était suspendue au trapèze par les genoux. Julia s'est mise à balancer Cari pour que cette dernière s'habitue au mouvement.

– Dans nos exercices, on répète chaque mouvement sans cesse jusqu'à ce qu'il devienne le plus naturel possible, m'a expliqué Johann. Aussitôt que la base est acquise, les idées commencent à fuser. Les jumelles Valesca et Julia sont particulièrement ambitieuses, elles sont le prototype d'artistes avec qui j'aime bien travailler. Elles veulent que leur numéro se développe constamment, alors elles sont très exigeantes envers elles-mêmes. Depuis deux ans que je travaille avec elles, on a dû effectuer au moins une demi-douzaine de changements significatifs à leur routine. Ce sont elles qui ont proposé ces changements, ce qui a facilité mon travail.

Elles ont parfois de bonnes idées qui n'ont pas été suffisamment explorées. Alors, au lieu de leur dire pourquoi ce n'est pas toujours faisable, je leur dis : «Essayons de voir ce qu'on peut faire avec ça!» Inutile de leur dire tout simplement «Non, ce n'est pas bon», elles n'auraient plus envie d'explorer de nouvelles voies. Pour maintenir leur motivation, il faut prendre toutes leurs idées et leurs suggestions au sérieux. On veut que nos artistes aient envie de pousser leur numéro plus loin, jusqu'à un stade supérieur. Quand ils campent en position en disant «Je fais mon travail», c'est qu'ils n'ont pas vraiment fait leur travail. Les spectateurs méritent plus que cela, ils exigent quelque chose de plus inspirant!

L'une des principales responsabilités de mon travail consiste à découvrir une manière appropriée et efficace de communiquer avec chacun de nos artistes, même si je dois parfois changer mes façons de faire d'heure en heure! Il y a quelques mois encore, j'ai dû prendre l'un de nos jeunes artistes à part, parce qu'à mon avis, il avait besoin de conseils. Il avait commencé à adopter une attitude de vedette, en criant, en se plaignant, en boudant ou en se lamentant constamment. Habituellement, je permets aux jeunes de se reprendre en mains eux-mêmes, mais dans ce cas-là, j'en avais assez. Alors je lui ai demandé ce qu'il faisait avant de venir au Cirque, et ce qu'il allait faire si on le renvoyait?

Sans lui laisser le temps de répondre, je lui ai dit d'arrêter de se plaindre et de commencer à tirer du plaisir de son travail. Il en est resté stupéfait. Jamais personne ne lui avait demandé de modifier sa conduite auparavant. Mais il a compris le message, puisque depuis ce moment-là, son attitude a énormément changé.

Le spectacle, lui aussi, est en transformation continuelle, a ajouté Johann, des gens nous quittent, d'autres nous rejoignent. Des artistes sont blessés, parfois même en plein spectacle. Il faut qu'on arrive à tout faire fonctionner avec ce qu'on a. C'est un énorme casse-tête chaque soir. Mais je suppose que c'est la même chose partout, quoi qu'on fasse. L'important étant d'avoir des gens capables de donner une prestation spéciale sur commande quand on est à court de ressources.

À ce moment-là, l'attention de Johann s'est de nouveau portée sur le trapèze, où Cari s'est lancée de la barre vers les bras tendus de Valesca sans la moindre hésitation. Puis, après avoir attrapé Cari et plané pendant quelques instants, Valesca a lâché prise et Cari a fait un atterrissage gracieux.

– Bravo Cari! C'était parfait!

La création d'une communauté

Un peu plus tard, ce même après-midi, j'ai discuté avec l'un des clowns que Diane tenait à me faire rencontrer.

Elle m'avait dit que Philippe était celui qui pouvait le mieux m'expliquer ce qu'était l'interaction avec les spectateurs pour que ceux-ci deviennent partie intégrante de l'expérience créatrice.

Quand j'ai gagné sa loge, Philippe était en train d'appliquer son maquillage : un fond de teint blanc et d'intenses sourcils noirs. Avec ses souliers noirs, ses bas blancs, sa culotte bouffante noire, ses bretelles, son nœud papillon et sa casquette, il a avait l'air d'un écolier qui avait grandi trop vite.

En fait, bien qu'il eût l'air d'avoir à peine 20 ans, il m'a avoué en avoir 35. Son rôle lui convenait parfaitement à cause de son visage de gamin, de son physique et de son comportement enfantins, malgré le fait qu'il était le cinquième à l'incarner. Il a pris son temps pour se maquiller et a adopté toute une gamme d'expressions avant de se déclarer satisfait.

– Si les gens se rendent compte que j'ai 35 ans, m'a-t-il affirmé, ils ne laisseront pas leur imagination gambader à loisir. Il me verront comme un adulte qui joue un rôle et non comme un enfant qui s'amuse. La plupart des spectateurs sont prêts à laisser tomber les règles, mais ils ont besoin qu'on les aide. Je dois créer un monde imaginaire pour eux et, si je réussis, ils vont m'y accompagner avec plaisir.

Philippe tenait ce rôle dans *Saltimbanco* depuis deux ans.

– J'ai remplacé un autre clown prénommé Pascal, m'a-t-il confié. Au début, je me contentais de l'imiter, mais ma propre personnalité a fini par s'imposer avec le temps. Plus cynique, Pascal défiait davantage l'assistance, alors que moi, j'ai plutôt l'air d'un enfant espiègle. D'ailleurs, c'est ce qui marche le mieux dans mon cas. Je dois incarner un personnage heureux, sinon ce n'est pas plaisant.

Quand j'invite une personne du public à monter sur scène avant le début du spectacle, je veux lui donner à elle, et à toute l'assistance à travers elle, le goût d'intégrer le riche monde imaginaire dans lequel l'enfant que je suis s'amuse.

La plupart d'entre nous ne se sont pas permis de jouer comme un enfant depuis trop longtemps! J'insiste toujours, gentiment mais fermement, pour qu'ils respectent les règles de mon monde imaginaire. Je veux que les gens que j'ai choisis s'amusent aussi, qu'ils deviennent les héros de mon numéro. Par exemple, quand je leur chuchote à l'oreille «Pouvez-vous m'aider?», ils acceptent habituellement de le faire. Mais pour que cela se produise, il faut les amener à avoir confiance... énormément confiance.

Au cours de mon séjour au Cirque, j'ai moi-même constaté que la confiance est comme une espèce de mantra pour la troupe.

– Il faut aussi que je conserve ma spontanéité, a poursuivi Philippe. Ainsi, ce qu'un spectateur particulier voit un certain soir sera différent de ce qu'il verra le lendemain, par exemple. En somme, tout ce que je fais, c'est pour eux. C'est ce qui rend mon numéro si agréable.

Pour avoir l'air vraiment sincère sur scène, il faut l'être autant dans la vie. Il importe que le public sente qu'on est tous ensemble, comme une communauté, et l'inciter ainsi à partager notre sens de la beauté, de la joie. Quand je suis dans cette disposition-là, tout le reste me semble en harmonie.

Porter attention au détail

Diane avait fait des pieds et des mains pour que je puisse rencontrer l'homme qui prend feu dans le spectacle «O». N'oublions pas que c'était ce personnage qui m'avait incité à poursuivre mon incursion jusqu'au cœur du Cirque du Soleil. Murray était à Paris pour la première de *Saltimbanco*, mais aussi à la recherche d'idées pour son propre numéro. Je l'ai trouvé en train de regarder les artistes en répétition sous le Grand Chapiteau. La première question que je lui ai posée était la plus évidente pour moi :

– Vous êtes-vous déjà brûlé durant un spectacle ?

– Je fais ce numéro depuis 25 ans et il est presque impossible de ne pas se brûler à l'occasion, comme les plombiers se mouillent et les apiculteurs se font piquer de temps en temps. J'utilise les meilleurs matériaux à ma disposition, les bons combustibles, les vêtements et les accessoires de cascadeurs, mais, même avec ces matériaux-là, c'est dangereux. Le record mondial pour une personne en feu est de deux minutes et demie, alors que moi, je brûle pendant deux minutes et quart chaque soir. Le minutage doit être très précis, parce que les matériaux ne pourraient résister au-delà d'un certain seuil.

– Le temps pendant lequel vous brûlez vous paraît-il plus court quand vous êtes en scène ?

– En réalité, c'est le contraire ! s'est exclamé Murray. Tout s'étire, sur scène, tout paraît plus long. Quelques secondes donnent l'impression d'une minute, non seulement pour moi, mais pour le spectateur aussi. Je prends mon temps. Je traîne les pieds, ce qui donne l'impression que je brûle depuis plus longtemps, mais ce n'est pas le cas. Le reste de la troupe fait du bon travail aussi, en effectuant toute une panoplie de mouvements rapides pour distraire les spectateurs, afin que le temps leur paraisse encore plus long. Ils ont alors l'impression que ce passage est interminable... et vous aussi !

Quand j'ai demandé à Murray comment il en était venu à monter ce numéro, il m'a répondu que sa première expérience avec le feu avait débuté vers ses 18 ans. Il avait d'abord présenté son propre spectacle en tournée, puis s'était produit avec divers cirques avant qu'on l'invite un jour dans la populaire émission télévisée de David Letterman.

– J'avais envoyé un enregistrement de certains numéros de jonglerie avec le feu. Un jour, les recherchistes m'ont appelé et m'ont demandé si je pouvais faire autre chose. J'ai répondu que je pouvais jongler et sauter à la corde en unicycle pendant que la corde brûlait. « Ça va! m'ont-ils dit, mais avez-vous autre chose en plus? »

J'avais commencé à élaborer un nouveau numéro dans lequel je sautais, menotté, dans un grand bac d'eau à la surface de laquelle flottait une couche d'essence en feu. « Parfait! m'ont-il lancé. C'est en plein ce qu'on veut! »

– Mais, il y avait un problème, a poursuivi Murray. J'avais tout imaginé, mais je ne l'avais jamais fait. Il me restait une semaine avant l'émission! Je leur ai dit que j'apporterais tout ce dont j'avais besoin, mais que si je pensais ne pas pouvoir le faire dans des conditions pleinement sécuritaires, je devrais me désister. Donc, la première fois que je l'ai fait en vrai, c'était sur le plateau de l'émission de Letterman. Quand je suis sorti du bac, mes cheveux se sont embrasés pendant quelques secondes. Tout un spectacle! Letterman a tellement apprécié qu'il m'a lancé une sorte d'invitation permanente : si j'avais un nouveau truc à présenter, on me passerait de nouveau. J'y suis allé cinq ou six fois. Ensuite, tous les impresarios qui m'avaient assuré que mes numéros de feu n'intéressaient pas le public ont commencé à m'appeler pour me dire que j'étais formidable.

– Vous aimez sûrement flirter avec le danger? ai-je insisté.

– Loin de là ! Je suis prêt à prendre certains risques avec le feu, mais pas beaucoup. Seul un irresponsable pourrait le faire. Le gens pensent que je suis un gars extravagant, prêt à faire n'importe quoi, ce qui est totalement à l'opposé de la réalité. Quand je travaille, je tiens à garder le contrôle de tout ce que je fais. Par exemple, tout changement dans l'environnement peut modifier le comportement du feu. Si quelqu'un ouvrait une porte en coulisse à ce moment-là, un gentil petit numéro pourrait très vite devenir un désastre terrifiant.

Un jour, je m'apprêtais à répéter un numéro pour une émission de télé alors qu'on venait tout juste de cirer le plancher. J'ai demandé si je pouvais quand même le faire en toute sécurité. On m'a dit oui mais, bien entendu, le plancher s'est enflammé en répétition et j'ai cherché désespérément à l'éteindre. Quand j'ai dû faire mon numéro, plus tard dans la journée, j'ai procédé avec une extrême prudence, sachant très bien que si la moindre étincelle touchait le plancher, tout serait en flammes.

J'ai appris à m'attarder au moindre détail. D'abord parce que ma vie en dépend, mais aussi parce qu'en agissant ainsi, chaque soir est un peu différent des autres. Un soir, je constate comment le feu réagit quand je bouge mon bras droit, un autre soir, j'observe comment les flammes se comportent différemment sur le papier journal et sur mes souliers. Peu importe ce qui arrive, à chaque représentation, je demeure constamment en alerte.

De la flexibilité

Il faisait déjà noir quand je suis sorti du Grand Chapiteau. Me rappelant à quel point Diane tenait à ce que je rencontre Murray, je repensais à ce qu'il m'avait dit. Ses arguments quant à son besoin de contrôler l'environnement et de s'occuper du moindre détail avaient été très convaincants. Je me demandais si ces autres propos n'avaient pas encore plus d'importance mais, avant d'en arriver à une réponse, j'ai entendu quelqu'un crier « Frank ! » dans le terrain de stationnement. C'était Maurice. En me faisant signe d'approcher de sa voiture, il m'a crié :

– On est quelques-uns à aller prendre un verre au coin de la rue. Il y a un endroit où l'on va toujours se détendre. Aimerais-tu te joindre à nous ?

Je suis monté dans sa voiture. À deux ou trois coins de rue, on s'est arrêtés devant un indescriptible bâtiment en briques qui ressemblait bien plus à un entrepôt qu'à un bar. Aucune fenêtre, ni nom ni enseigne pour annoncer ce qui se trouvait à l'intérieur. La porte d'entrée était tellement bien dissimulée au milieu des briques que personne n'aurait pu la trouver sans un guide.

J'ai alors perçu la voix sensuelle d'une chanteuse parisienne qui dominait à peine les éclats des rires et les nombreux dialectes des artistes du Cirque.

– Voici deux personnes que tu dois absolument rencontrer, m'a dit Maurice en me tirant vers le bar. Il m'a présenté Eman, un Asiatique costaud avec de longs favoris noirs, et Wally, un grand roux à l'accent australien. Mais presque aussitôt, un autre groupe a réclamé sa présence à leur table. Maurice s'est poliment excusé en me laissant avec ces nouveaux amis.

Je me suis d'abord adressé à Eman.

– Vous savez, je crois que vous avez l'allure d'un...

– D'un Elvis oriental, s'est-il empressé de compléter. Je sais !

– C'est ce qu'on lui dit tout le temps, a repris Wally. En fait, je pense qu'il aime ça. Autrement, il aurait sûrement changé son affreuse coiffure. Moi, je m'appelle Wally. Êtes-vous nouveau au Cirque?

– On pourrait dire ça, ai-je répondu. J'ai participé à un programme d'entraînement spécial à Montréal, mais je suis avant tout agent sportif à Chicago. L'une de mes clientes s'est jointe au Cirque il y a quelques semaines. Diane McKee a cru qu'une immersion dans le monde du Cirque pourrait m'aider à recruter de nouveaux athlètes pour l'entreprise, alors me voilà! Je suis ici pour en apprendre plus sur la vie dans une troupe de tournée. Et vous, que faites-vous dans tout ça?

– Je fais des costumes, a dit Wally, et Eman est directeur artistique, une sorte d'homme à tout faire. Naturellement, il est assez difficile de donner une description exacte de ce que chacun d'entre nous fait au Cirque. Comme l'a dit Mark Twain : «Analyser l'humour, c'est comme essayer de disséquer une grenouille, on peut le faire, mais la grenouille a tendance à mourir au cours de l'opération.» À peu près tout ce qu'on fait, c'est de travailler fort. Si l'on attend l'inspiration, on peut passer des jours entiers sans rien produire. Le caricaturiste Al Hirschfield l'a exprimé comme ça : «Tout le monde a de la créativité et du talent, mais tout le monde n'est pas discipliné.»

– Diane a mentionné que vous trouviez certaines de vos meilleures idées en tournée, ai-je remarqué.

– Parfois, oui! On n'est pas venus à Paris seulement pour assister à la première de *Saltimbanco*, a répondu Eman. Mais aussi pour absorber l'énergie artistique de la Ville Lumière.

– La conceptrice des costumes de «O», notre spectacle aquatique à Las Vegas, est allée s'inspirer à Venise, a enchaîné Wally. Elle voulait voir comment l'eau influe sur les cycles de la vie, parce que c'est le thème principal du spectacle.

– Y a-t-il autre chose qui puisse vous inspirer? ai-je poursuivi par curiosité.

– Les problèmes! a rigolé Wally. Quand tout est trop facile, je m'ennuie. Quand on n'a pas de problèmes, je m'en tiens à ce qu'on attend de moi au lieu de faire quelque chose de passionnant.

– Quand il est question de problème, je pense à «O», a renchéri Eman, en faisant rouler ses yeux d'Elvis.

– Aucun de nos spectacles ne nous a causé autant de problèmes, a poursuivi Wally. Mais, quand on y pense, on dit ça chaque fois. On force toujours la note, on ajoute toujours quelque chose de neuf, de plus audacieux. Dans un nouveau spectacle, on ne peut pas répéter ce qu'on a déjà fait. Et c'est encore plus vrai dans «O», puisque c'était notre premier spectacle aquatique.

– Naturellement, a dit Eman, on ne voulait pas que ce nouveau défi nous empêche de réaliser ce qu'on avait planifié. On ne voulait pas que l'eau soit un élément lourd, on voulait plutôt que ce soit léger, amusant et flexible. Dans ce spectacle-là, il y a des gens qui plongent dans l'eau, qui en sortent d'un bond, et même qui marchent dessus! On a dû faire énormément d'essais avant d'y arriver.

– Laissez-moi vous donner un exemple de mon propre travail, a proposé Wally. Les concepteurs auraient voulu des costumes exotiques avec des couleurs flamboyantes, mais ces costumes-là doivent être plongés dans l'eau chlorée au moins deux fois chaque soir. Il fallait trouver de nouveaux tissus, de nouvelles teintures et du nouveau maquillage non solubles pour que tout résiste à l'eau. Presque tout ce qu'on a dû faire dans ce spectacle-là a débuté par une consultation avec des spécialistes totalement étrangers à notre service. L'entraîneur voulait des costumes qui conservent une certaine ampleur, même mouillés, alors que le metteur en scène, lui, voulait un costume qui ressemble à un zèbre et un autre qui aurait l'air d'une lune. Qu'on nous demande n'importe quoi, il fallait qu'on le produise. Mais c'est ce que j'aime! Le pire qui pourrait m'arriver, c'est que quelqu'un me passe une feuille blanche en me disant «Créez-moi quelque chose!» Je ne suis pas styliste, je suis coupeur. J'aime recevoir les idées des autres et les transformer, les pousser plus loin, et donner plus que ce que le client avait demandé. Je ne comprends pas ceux qui disent «Ce n'est pas mon travail de créer», parce que je pense qu'ils déprécient leur propre travail!

– Ton travail est ce que tu en fais! a ajouté Eman. Au Cirque, il y avait une réceptionniste qui travaillait depuis cinq ans, mais elle était aussi musicienne. Alors quand l'élaboration d'un nouveau spectacle a demandé une expertise en matière d'instruments classiques, elle a auditionné et obtenu le poste. Et maintenant, elle fait partie de notre troupe de tournée.

– Le Cirque attire les personnes qui ont tendance à aller au-delà de ce qu'on leur demande, a dit Wally. Et en ce qui concerne les costumes du spectacle «O», notre équipe a dû inventer des tissus tout nouveaux qui sèchent plus vite, qui s'étirent davantage et dont la couleur résiste plus longtemps. Mais il fallait aussi qu'ils soient extra-fins et plus élastiques que tout autre tissu qu'on ait pu voir jusque-là, qu'ils ressemblent à de la peau de phoque ou de loutre, plutôt qu'à quelque création humaine. On n'a même pas tenté d'adapter les costumes existants au milieu aquatique. On a décidé de mettre tous nos efforts à la conception de quelque chose de nouveau, de quelque chose de mieux!

– Avez-vous entendu parler de Buckminster Fuller? m'a demandé Wally de façon inattendue.

– Connais-tu des philosophes asiatiques? lui a lancé Eman à la blague.

– Fuller, a enchaîné Wally en riant, a dit que lorsqu'il se mettait à créer quelque chose pour résoudre un problème, il ne pensait même pas à faire quelque chose de beau. Mais lorsque le produit final n'était vraiment pas beau, il savait qu'il s'était trompé. C'est la même chose pour nous. On commence par tenter d'éviter un désastre, mais, à la fin, si ce qu'on a produit n'a rien de spécial, on sait qu'on doit pousser l'idée originale encore plus loin. Nos costumes pour le spectacle «O» sont le résultat d'une recherche pour la résolution d'un problème.

– Avant de débuter «O», a repris Eman, on n'avait aucune idée de ce qu'il fallait pour adapter l'un de nos spectacles à un environnement aquatique. Alors, humblement, on a dû partir à zéro.

– Chaque spectacle présente des défis qui lui sont propres, a insisté Wally. Dans *Varekai* par exemple, le metteur en scène voulait que l'un des principaux personnages soit vêtu d'un tube pouvant se transformer en chenille. Il demandait que les manches soient ornées de pointes. Mais il n'avait pas considéré le fait que nos artistes doivent pouvoir bouger, et beaucoup. Or, après une sérieuse considération du problème, nous n'avions plus qu'une possibilité : que les manches aient des pointes, mais que celles-ci soient très flexibles.

J'ai d'abord choisi un tissu transparent, une sorte de filet à mailles extensibles sur lequel j'ai fixé des pièces de plastique pour fabriquer les pointes. Ma première tentative a tourné au cauchemar. Le résultat était si encombrant qu'il empêchait l'artiste de tenir son rôle. La deuxième version ressemblait à un dragon chinois! Mais un soir, alors que ce problème me tourmentait, je n'étais pas sitôt couché que la solution est venue spontanément. J'allais ajouter des ailes soutenues par des baleines flexibles, qui, une fois en expansion, pourraient transformer l'artiste sans restreindre ses mouvements. Cette formule avait enfin réussi à combiner l'aisance, la flexibilité et la résistance.

Le lendemain matin, je me suis rendu à l'atelier plus tôt pour débuter le projet. Je tenais à commencer tout seul, par moi-même, pour voir si c'était possible. Alors, j'ai construit un modèle réduit et j'ai tout de suite constaté que, oui, ce serait fonctionnel.

Ensuite, j'ai fabriqué un modèle grandeur nature que j'ai montré à l'une de mes collègues, Tai. Selon elle, c'était génial, mais pas tout à fait au point. Alors, nous nous sommes lancés dans un remue-méninges pour échanger nos idées et anticiper les problèmes, par exemple qu'un modèle serait trop difficile à construire, qu'un autre pourrait se déchirer ou qu'un troisième ne serait pas résistant assez longtemps. Dès le départ, les éclairs de génie ont fusé. Parfois, Tai et moi regardions le problème sous des angles différents. C'était parfaitement normal, puisque le Cirque choisit toujours de jumeler des individus issus de milieux divers et avec des personnalités différentes, dans l'espoir que le choc des idées produise un surcroît d'originalité. En travaillant avec une collègue comme Tai, je sentais que je n'étais plus seul. Ensemble, nous avons trouvé la meilleure solution.

Apprendre à faire confiance

En arrivant sur le site du Cirque, le lendemain matin, j'ai constaté que les artistes étaient un peu anxieux. Dans la tente des artistes, ils étaient en train d'effectuer des étirements, de répéter leur numéro ou d'appliquer leur maquillage.

Dès le début du spectacle, j'ai été impressionné par la musique, un mélange de styles très variés, allant du tambourinage argentin à l'opéra. D'ailleurs, Johann m'en avait parlé la veille.

– En créant la musique, m'avait-il dit, le compositeur a relevé le défi d'incorporer le thème de la vie urbaine à sa partition en tentant d'imaginer les musiques qu'il aurait pu entendre en roulant en voiture toutes fenêtres ouvertes dans les rues d'une grande ville comme New York, par exemple. Et c'est ce qu'il a tenté de saisir : des rythmes variant du rock africain aux grands classiques, la diversité des sons de la vie urbaine dans une ville cosmopolite.

Le premier acte a débuté sur un changement de rythme des tambours. J'avais déjà vu les trois premiers artistes, un homme, une femme et un enfant, en répétition, la veille. Johann m'avait dit que le petit garçon était le fils des deux artistes adultes, et que, lorsqu'il était petit, il avait demandé à sa mère : «Pourquoi est-ce que tout le monde travaille, sauf moi ?»

À la fin de ce numéro familial, le père balançait délicatement son fils, dont les bras et les jambes étaient noués en forme de bretzel, en effectuant de grandes boucles au-dessus de sa tête. Dès qu'ils ont quitté la scène, le clown Philippe s'y est amené à son tour pour inviter un spectateur à traverser une porte imaginaire, ce à quoi l'homme a consenti en faisant semblant de ramper à travers le carré invisible que Philippe venait de tracer dans le vide pour l'inviter à laisser son passé derrière lui.

Ensuite, sitôt sorti de scène en sautillant, Philippe est allé retoucher son maquillage, après quoi il est venu me saluer. Je l'ai félicité pour le tonnerre d'applaudissements qu'il avait soulevé chez les spectateurs.

– Merci ! a-t-il dit. Mais ils réagissaient au comportement du spectateur que j'avais choisi et non au mien. Ils ne réagissaient pas à l'habileté, mais au courage que l'homme a démontré en me faisant confiance au point de laisser libre cours à sa fantaisie devant tout le monde. En réalité, cet homme n'a fait que ce que nous, artistes, devons toujours faire pour être plus créatifs, plus vivants. Il a abandonné sa méfiance et est passé à l'action !

— Comment faites-vous pour choisir vos « volontaires » ? l'ai-je questionné.

— Bonne question ! a-t-il répliqué. Je ne me fie pas au hasard. Au début du spectacle, je porte un masque et un costume différend, et je circule parmi la foule ; j'essaie de jauger les gens. Mon travail m'a appris l'importance de surveiller le langage corporel.

Pour ne rien risquer, je peux choisir un gars qui a l'air amical et timide, mais qui va presque sûrement acquiescer à ma demande. Mais si j'ai envie d'un plus grand défi, je vais plutôt choisir une espèce de colosse à l'air rébarbatif, un barbu avec les bras croisés, par exemple, qui a l'air de vouloir tenir le monde entier à distance. En ce moment, je me sens fort, j'ai plus souvent envie de courir ce genre de risque.

— Qu'arriverait-il si le spectateur ne voulait pas jouer le jeu ? me suis-je inquiété.

Avec un large sourire, il m'a simplement répondu : « Vous verrez ! »

Sur ce, Philippe a bondi en frappant dans ses mains pour aller présenter le deuxième numéro. Il a déambulé parmi le public en écoutant les réactions et en ralentissant le pas devant un homme par-ci, une femme par-là, donnant l'impression qu'il pourrait inviter ces gens-là à monter sur scène. Tout à coup, il s'est arrêté net devant un costaud d'une cinquantaine d'années pour lui jeter un regard invitant. La foule a réagi en riant allègrement, mais on sentait que le regard sévère de ce monsieur créait un sentiment d'appréhension. Loin de paraître découragé, Philippe a invité l'homme à se lever et à jouer avec lui, à se taper dans les mains mutuellement comme des copains.

Mais l'homme gardait toujours les bras serrés sur la poitrine et les sourcils froncés, résistant à toute invitation. Alors, sans broncher, Philippe a invité l'assistance à applaudir généreusement ce monsieur à qui il a fait une sorte de câlin enfantin.

Sans perdre une seconde, Philippe a trouvé un autre volontaire qui, loin d'avoir l'air importuné, a fait semblant de saisir et de faire tourner le pistolet imaginaire que le clown venait de lui tendre. Ensemble, ils se sont lancés dans un duel simulé, comme dans un western. En jetant un regard autour de moi, j'ai vite constaté que ce petit numéro n'amusait pas que les enfants. Tout le monde souriait, même le premier assistant involontaire de Philippe.

Dès que Philippe a quitté la scène, le spectacle a amorcé son crescendo. Vêtue de sa robe étincelante et de sa coiffure à plumes, la chanteuse a entamé l'air d'opéra spécialement créé pour le spectacle. Quatre artistes du *bungee*, tout de blanc vêtus, se sont alors avancés au centre de la piste. Pendant qu'ils exécutaient leur ballet fait de tournoiements et de vols planés, mes yeux alternaient entre ces exploits aériens et la cohorte de créatures déchaînées dansant en dessous. J'ai alors compris que *Saltimbanco* ne racontait pas qu'une seule histoire, mais plusieurs. À divers moments durant le spectacle, en détournant le regard du pôle d'attraction, je pouvais percevoir un récit entièrement différent, reflétant parfaitement ce que j'avais moi-même vécu au Cirque. Chaque personne que j'avais rencontrée ne représentait peut-être qu'un quart de note dans la symphonie, mais chacune était absolument essentielle à l'ensemble.

Immédiatement après la finale retentissante du spectacle, tous les membres de la troupe se sont amenés sur scène pour saluer le public et accueillir l'extraordinaire ovation qu'ils avaient amplement méritée. Et enfin, les artistes ont retiré leurs masques, ce qui a donné lieu à un moment d'émotion pour la foule qui les découvrait sous un tout autre jour.

– J'aime quand on revient pour saluer, m'a dit Philippe en suivant les autres artistes en coulisse. En retirant nos masques et nos chapeaux, on montre aux spectateurs que, en réalité, on est simplement comme eux. Que si l'on peut faire aussi bien, ils le peuvent eux aussi.

– Dommage que le premier gars que vous ayez approché ait été si rebelle, ai-je déploré, en faisant allusion à sa prestation dans le deuxième acte.

– Ne vous en faites pas, m'a-t-il confié. Cet homme a fait ressortir une caractéristique importante de la représentation. Il a prouvé au public que le spectacle est vrai, absolument pas truqué, qu'on court des risques importants, et les gens aiment ça ! Quand le pauvre petit clown caresse le type costaud et s'en va tristement vers un autre volontaire, puis retrouve sa gaieté, c'est très touchant ! Et c'est la vie !

Les échecs ne me font rien regretter. Mes regrets viendraient plutôt de ces moments où j'ai laissé tomber parce que j'avais trop peur, où j'ai préféré me retrancher dans la sécurité. Les spectateurs peuvent tirer une leçon de cet incident. Le premier homme a refusé de me faire confiance, alors il m'a dit en substance : « Ne me ridiculisez pas ! » Je n'avais aucune intention de le ridiculiser, j'étais prêt à me ridiculiser moi-même, mais j'avais juste besoin de son aide pour le faire. Par contre, le deuxième, lui, a mis ses peurs de côté. Il ne s'est pas inquiété de l'opinion des autres et a choisi de me faire confiance. Et il s'en est sorti en héros. Si vous voulez vivre pleinement, a conclu Philippe en souriant, vous devez faire confiance.

Le lendemain, j'étais de retour à l'aéroport Charles-de-Gaulle et prêt à repartir pour Chicago. Mon aventure au Cirque tirait à sa fin. Grâce à ce que j'avais vu, entendu et expérimenté, je me sentais pleinement confiant de pouvoir vivre ma vie d'une façon plus créatrice à l'avenir.

Diane n'avait pas seulement voulu que j'apprenne à voir mon travail avec une attitude différente et avec davantage de moyens à ma disposition. Elle cherchait à m'amener à considérer de nouveau mon emploi comme une vocation.

En faisant la queue à la sécurité de l'aéroport, j'ai repensé à ce qu'elle m'avait raconté. L'un des concepteurs avait dit, en travaillant à la création de *Quidam*, un spectacle dont le décor évoque une gare ferroviaire : «En prenant un train ou un autre, on peut réorienter sa vie.» La raison pour laquelle Diane avait tant insisté pour que je discute avec Murray, l'homme qui prend feu, est soudain devenue évidente. Ce n'est qu'après sa prestation à la télévision que les agents se sont précipités à sa porte. S'ils n'avaient pas attendu que leurs artistes soient les vedettes des premières pages des journaux, s'ils avaient eu l'esprit plus ouvert quant au recrutement de nouveaux clients, ils auraient eu beaucoup plus de chances de le représenter, lui. Étais-je tombé dans le même panneau? Avais-je perdu la capacité de reconnaître les athlètes surdoués avant qu'ils ne connaissent la gloire sur le plan professionnel?

Maintenant, je savais ce qu'il me restait à faire pour retrouver ma passion, pour réactiver ma créativité. Je n'avais qu'à me rappeler où tout avait commencé.

épilogue

Découvrir la perle à l'intérieur

Le coaching

Quelques mois plus tard, j'étais de retour à Las Vegas. On avait demandé à Cari de remplacer l'un des personnages du spectacle KÀ pendant quelques semaines. J'étais venu assister à ses débuts.

Le soir de mon arrivée, la veille de la première de Cari, Diane m'a fait parvenir un billet pour assister à *Mystère*, le premier spectacle fixe du Cirque à Las Vegas. En remontant le corridor menant au théâtre, j'ai été abordé par un homme d'un certain âge, apparemment impatient de voir mon billet. On aurait dit un scientifique excentrique et distrait, avec ses baskets, son pantalon de cérémonie noir, sa chemise de soirée, son veston sport noir et sa chevelure poivre et sel frisottée. Il m'a conduit cérémonieusement vers mon siège. Sitôt que je me suis assis, il a spectaculairement extirpé la dame du fauteuil d'à côté pour la conduire à son bras jusqu'à un autre endroit, sous les applaudissements frénétiques de la foule. Elle faisait dorénavant partie du spectacle.

Plusieurs d'entre nous ont ensuite continué à suivre les bouffonneries de ce faux placier. Après avoir examiné les billets d'un couple, par exemple, il a demandé au monsieur de tenir sa lampe de poche et a déchiré leurs billets devant eux. Il a conduit d'autres spectateurs dans un parcours insensé entre les rangées de sièges, plutôt que les allées du théâtre. Il a chassé un homme de son fauteuil pour s'installer à sa place. Il a escorté des invités incrédules au fil d'un parcours sinueux pour leur faire visiter tous les recoins du théâtre, après quoi, il les a abandonnés dans la section la plus éloignée de leur point de départ. Et enfin, il a renversé plein de flocons de maïs éclaté sur lui et sur beaucoup de gens, dans bon nombre de rangées.

Bien sûr, les spectateurs ont abondamment ri de ses blagues, mais, plus important encore, il a créé un lien avec l'auditoire en les rendant complices de ses trucs, en éliminant l'écart entre les artistes et les spectateurs avant le début du spectacle.

Quelques mois auparavant, Diane m'avait parlé de l'importance de ce personnage clownesque pour le spectacle *Mystère*. Constamment coincé entre le monde réel et le monde fictif de la scène, ce placier espiègle et quelque peu revêche était un peu comme le mythique Charon, le passeur qui transportait les âmes des défunts sur la rivière Styx dans le monde des ombres. Car avant de pénétrer dans le monde imaginaire, il faut apaiser ces espèces de farceurs, ensuite, on doit trouver sa propre voie.

Le spectacle était bien entendu fascinant. Encore davantage pour moi qui avais eu la chance de pratiquer certains de ces trucs-là. En fait, pendant que six artistes culbutaient en *bungee* par exemple, j'avais l'impression de revivre un rêve.

Après le spectacle, j'ai sauté dans un taxi pour me rendre à l'hôtel Bellagio, où Diane m'attendait. Elle était à Las Vegas pour élaborer un nouveau numéro et, après la première représentation de la soirée, avait rejoint quelques artistes dans un salon du théâtre «O».

Dès que je suis entré dans la pièce, Diane et moi avons échangé une très chaleureuse étreinte. Ses yeux pétillant d'énergie semblaient alimentés par le vibrant courant électrique emplissant le salon. Mais ce qui m'a le plus surpris, c'est à quel point elle semblait enchantée de me revoir. Elle avait dû déceler quelque chose dans mes yeux. Quelque chose qui avait retenu son attention, car il était assez évident qu'elle aimait ce qu'elle y avait vu.

– Vous avez l'air si alerte et si passionné par tout ce qui vous entoure, a-t-elle dit. Et vous avez perdu du poids, n'est-ce pas?

– Eh bien, vous êtes radieuse vous-même! l'ai-je félicitée en lui saisissant la main. Et vous avez raison, j'ai perdu du poids. Je me sens tellement plus engagé depuis quelques jours, et c'est grâce à vous! J'ai incliné la tête pour montrer que j'avais apprécié. C'est vous qui avez rendu ça possible en m'ouvrant toutes les portes du Cirque.

– Peut-être que oui, a-t-elle répondu, mais l'aventure elle-même et tout le travail que vous y avez consacré, ça c'était vous! Je suis fière d'avoir pu ouvrir quelques portes pour vous. Mais, vous avez vu le numéro de Philippe dans *Saltimbanco*. Il avait bien tracé une porte dans le vide. Si le spectateur choisi n'avait pas eu le courage de la franchir, Philippe aurait tout autant pu tracer un mur de briques. Vous n'avez pas à me remercier, vous savez. Le plaisir de vous voir vivre aussi pleinement est une récompense suffisante.

Depuis ce jour où j'avais traversé les sept portes au théâtre KÀ, ma vie avait bien changé, et ce, pour plusieurs raisons, toutes plus importantes les unes que les autres. Je vivais toujours à Chicago, bien entendu, je travaillais encore pour la même agence, effectivement, mais toute autre ressemblance entre mon ancienne et ma nouvelle vie avait disparu.

Revenu au bureau, tout ragaillardi, je m'étais vu offrir une occasion en or par Alan : la responsabilité de nos deux plus importants clients, le gagnant du trophée Heismann de l'année précédente et un joueur étoile de l'équipe la plus susceptible de remporter les éliminatoires de la NBA de l'année en cours. Il souhaitait aussi m'offrir une participation plus importante dans notre entreprise. Offre que j'ai déclinée.

Cependant, je lui ai bien fait comprendre qu'une participation plus importante dans l'entreprise était très importante pour mes projets d'avenir. Mais j'ai précisé que je préférais atteindre cet objectif par une autre voie. Je lui ai plutôt suggéré de créer une nouvelle division, exclusivement consacrée aux nouveaux talents. Service dont j'étais prêt à assumer la direction. On pourrait revenir à ce que j'aimais le plus : visiter les écoles secondaires et les collèges du pays, et miser sur des jeunes de grand talent, mais totalement inconnus. Alan a adoré cette idée-là.

À partir du moment où j'ai consacré tous mes efforts à la formation et à l'orientation de la carrière de nos plus jeunes clients, mon travail est devenu moins prestigieux, mais infiniment plus gratifiant. Ce nouveau rôle consistait à faire preuve de créativité pour que le nom de ces jeunes gens anonymes aboutisse un jour sur les lèvres des admirateurs.

Un travail qui m'offrait un défi beaucoup plus emballant que celui de solliciter des commandites pour de récentes vedettes du Super Bowl. Au lieu de me limiter à leur obtenir des revenus à court terme, j'aidais mes nouveaux clients à fixer les objectifs d'une carrière à long terme et beaucoup plus lucrative. Il était plus difficile et plus risqué de vendre les services d'un jeune hockeyeur ou d'un gymnaste en herbe, alors j'ai subi quelques échecs. Mais j'ai aussi connu des succès retentissants.

En même temps, j'ai aussi eu la consolation de savoir que nos plus jeunes agents réussissaient déjà très bien dans mon ancien service et avaient, eux aussi, la chance de prendre de l'expérience et de progresser vers des postes supérieurs.

Mon travail me passionnait de nouveau. En devenant le mentor d'agents plus jeunes, j'ai contribué à l'établissement d'un nouvel esprit de collaboration et, en conséquence, à une progression fulgurante de l'entreprise. Et ma vie en dehors du bureau s'est aussi sensiblement améliorée. J'ai repris la bonne habitude de nager après le travail. Je me suis même mis à fréquenter une femme de mon âge rencontrée à la piscine. Je suis encore allé à Montréal de temps en temps pour aider Diane et le Cirque du Soleil à sélectionner des athlètes méritant une audition.

La vie était belle.

Diane m'entraîne parmi la foule amassée dans la pièce où l'on se trouvait et me dit :

– Venez! Je vais vous présenter quelqu'un que j'aimerais que vous rencontriez ce soir. Elle aussi a travaillé très fort et a vaincu pas mal d'obstacles pour arriver là où elle en est aujourd'hui. C'est une nageuse aussi, et la première que vous rencontrez depuis votre séjour au Cirque, je crois.

Mais il n'y a pas que ça que vous ayez en commun. Comme vous, Karine a constaté que les choix qu'elle a faits, dont certains n'étaient pas faciles du tout, ont complètement changé sa vie.

Curieux, j'ai suivi Diane jusqu'au salon vert, où, arrivant des coulisses, une belle grande dame aux longs cheveux blonds cendrés, vêtue d'une robe d'été, s'avançait vers nous, un bébé dans les bras.

– Voici Karine! a présenté Diane. Et en se penchant vers le bébé, elle a ajouté : Et ici, c'est Chérie. Bonjour Chérie!

Karine a grandi à Montréal. C'était l'époque où Nadia Comaneci était devenue la médaillée d'or des Jeux olympiques et du même coup son idole d'adolescence.

– J'aurais voulu être gymnaste, a dit Karine. Mais à cause de ma taille, puisque je dominais toutes les autres filles d'au moins 25 centimètres, ce rêve semblait irréalisable. Or, j'en avais tellement envie que j'ai quand même persisté. Après nos séances d'exercices, je passais une heure à la piscine avant que ma mère ne revienne me chercher. D'ailleurs, ma taille et ma condition physique me donnaient une rapidité supérieure pour les longueurs. Alors, après m'avoir vue, l'un des entraîneurs m'a invitée à joindre son équipe. Au début, c'était merveilleux. Je gagnais toutes les courses l'une après l'autre. J'en avais même oublié la gymnastique. Mais après que l'euphorie suscitée par l'admiration populaire se fut atténuée, l'idée d'aller nager des centaines de longueurs de piscines chaque jour, matin et soir, se transformait de plus en plus en fardeau.

Pendant la même période, j'avais pris l'habitude d'arriver en avance pour notre entraînement quotidien, pour le plaisir d'observer la séance de l'équipe de nage synchronisée. C'était fascinant! Selon moi, ce sport, qui en était encore à l'aube de sa popularité, était une parfaite combinaison de ce que je savais le mieux faire, la natation, et ce que j'aimais le plus, la gymnastique. Alors, j'ai vite joint l'équipe. Autant la nage de compétition avait été un travail ardu pour moi, autant les entraînements de nage synchronisée étaient un véritable plaisir. J'appréciais la liberté. On n'était jamais confiné à un trajet rectiligne, ni contraint à des aller-retour interminablement répétitifs. On exécutait des figures, on tournait d'un côté, on vrillait de l'autre, dans le cadre d'un spectacle toujours ravissant et parfaitement harmonieux.

J'ai vite perdu le goût de la compétition, a poursuivi Karine. Et quand j'ai dit à mon entraîneur que je quittais l'équipe de natation pour joindre le groupe de nage synchronisée, il n'était pas seulement déçu, mais attristé. C'était très difficile, parce c'était un excellent entraîneur, sévère mais bienveillant. Pour le monde de la compétition, ma décision était incompréhensible, mais parfois dans la vie, ce genre de mutation devient nécessaire.

En adoptant la synchro, j'ai vite compris que c'était parfait pour moi. Pas encore sensationnel, mais j'aimais tellement ça, que tout s'est rapidement amélioré. Moins de deux ans après, je faisais partie de l'équipe nationale, et aux Olympiques de 1992, j'étais devenue la soliste de l'équipe. Peu après, j'ai constaté qu'il me fallait améliorer légèrement le mouvement de mes bras à cause du nouveau rôle qu'on m'avait confié. Alors, j'ai demandé à mon ancien entraîneur de natation de m'aider. J'avais envie que celui qui m'avait enseigné à nager soit à mes côtés.

Eh bien, même s'il s'agissait d'un homme sévère, j'ai constaté qu'il avait les larmes aux yeux! Et moi aussi.

Pendant la préparation des Olympiques de 1992, ma vie était vraiment fantastique! J'avais 26 ans. En tant que soliste, j'avais la possibilité de remporter une médaille pour mon pays, j'étais fiancée à un commentateur sportif célèbre, on formait un couple parfait et, en plus, on devait aller aux Olympiques ensemble.

Elle s'est alors arrêtée un instant pour regarder sa fille avec un regard plutôt curieux, mélancolique, puis elle a relevé la tête et poursuivi son récit :

– Marc est décédé subitement un mois avant les Olympiques. Maintenant, je sais qu'on doit faire des choix tous les jours. Moi, j'ai dû choisir ma façon de réagir à cette tragédie. J'étais triste, dévastée, complètement ravagée bien sûr, mais il me restait encore des possibilités. Une semaine après sa mort, mon choix était fait. J'allais continuer à vivre, j'allais participer aux Olympiques.

En entendant ces mots, j'ai dévisagé Diane. Je ne lui avais jamais parlé de mon ami Mike, et rien ne pouvait laisser croire qu'elle savait qu'une tragédie personnelle avait motivé toutes les décisions qui m'avaient finalement amené au Cirque. Pourtant, j'étais en mesure de comprendre qu'après tout ce temps passé au Cirque, elle avait non seulement appris à reconnaître les âmes en peine, comme moi, mais elle savait comment nous aider à retrouver notre chemin.

– Je n'étais pas trop préoccupée par l'idée de gagner ou non, a repris Karine. Tout ce qui comptait, c'était d'y aller. Je ne sais plus comment, mais je me suis reprise en mains et j'ai fini par remporter la médaille d'or. Malgré tout, je n'étais pas encore au bout de mes peines. À cause de l'erreur d'une certaine juge, la médaille ne m'a pas été remise à Barcelone. Après une année d'attente, tout est rentré dans l'ordre et on m'a enfin accordé et remis officiellement ma médaille d'or.

Ensuite, aux Olympiques de 1996, notre équipe a surpris tout le monde en remportant la médaille d'argent dans la compétition de groupe. Tout ce qui comptait pour moi en montant sur le podium ce jour-là, c'était que je sois entourée de mes coéquipières. Je n'avais jamais lâché, je faisais partie de ce groupe. Parce que j'ai dû faire face à des défis comme ceux-là, je suis devenue celle que je suis maintenant.

Elle m'a regardé droit dans les yeux en prononçant ces mots, puis elle a incliné la tête pour regarder sa fille.

– J'ai aussi appris autre chose aux Jeux olympiques, a-t-elle ajouté. Je n'étais pas aussi amoureuse de la compétition que je l'avais pensé. Ce n'était pas la raison première de ma présence quotidienne dans l'équipe. Ce qui me tient le plus à cœur, c'est l'appartenance à une équipe, la vie active, la beauté et l'originalité.

Voilà les raisons pour lesquelles je me suis jointe au Cirque du Soleil, a précisé Karine. Nos spectacles n'ont rien à voir avec le besoin d'être meilleur qu'un autre, mais plutôt avec l'envie de trouver son propre horizon et de tout faire pour l'atteindre. C'est aussi pourquoi il était si agréable et si naturel pour moi de passer du rôle de nageuse à celui d'entraîneure, même si j'ai plutôt l'impression d'être une enseignante.

Je crois qu'il y a une différence entre rivaliser et participer, comme il y a une différence entre un athlète et un artiste. J'apprends maintenant la différence entre un entraîneur et un enseignant. Pour moi, un entraîneur doit pouvoir motiver l'équipe au complet. Bien sûr, je peux faire un discours de motivation devant une centaine de personnes, mais je préfère une interaction plus personnelle, plus intime. Voilà ce qui, selon moi, est une forme d'enseignement de personne à personne. Aider quelqu'un à améliorer sa technique par exemple, ou, mieux encore, aider une personne à comprendre ce qu'elle est vraiment, dans son for intérieur.

Au Cirque, il faut toucher le public tous les soirs. Pour y arriver, on doit trouver la petite perle à l'intérieur de soi et l'offrir à l'assistance. Quand on enseigne à un autre être humain, on doit l'aider à trouver sa propre perle intérieure. Quand je constate qu'il – ou elle – l'a trouvée et partagée avec les spectateurs, là je sens que j'ai vraiment accompli quelque chose. Rappelez-vous comment les perles sont fabriquées... à partir d'un grain de sable, d'un simple irritant. Tout ce dont je suis si fière maintenant a débuté par un grain de sable : le fait que j'aie été trop grande pour la gymnastique, que je sois passée à la nage synchronisée et que j'aie perdu mon fiancé. C'étaient tous des moments difficiles au départ mais, chaque fois, j'ai décidé d'aller de l'avant, d'en profiter pour m'améliorer.

On a tous nos grains de sable, a continué Karine, mais il faut faire en sorte qu'ils se transforment, qu'ils deviennent autre chose. Pendant un certain temps, j'ai travaillé avec les jumeaux du trapèze duo dans «O». Je leur ai dit : «Je ne veux pas voir le trapèze, je veux vous voir, vous. Comme je ne veux pas voir l'eau quand je regarde une nageuse en nage synchronisée, je ne veux pas voir un marteau quand j'admire un beau meuble, et je ne veux pas voir une palette quand j'apprécie un tableau.» Je veux que nos artistes se sentent aussi libres qu'en état d'apesanteur, mais pour en arriver là, ils doivent trouver leur propre perle intérieure.

Si vous êtes un athlète, votre entraîneur vous demande de faire ce qu'il vous a enseigné. Ensuite, les juges déterminent si vous avez bien fait ou non, selon ce qu'ils croient bon ou mauvais. Au Cirque, c'est très différent. Ici, on vous dit d'être vous-même. Voilà pourquoi j'ai obtenu cet emploi. J'ai affaire à tout le monde, mais je m'occupe individuellement de chaque artiste. Je n'ai pas du tout l'impression de travailler, mais de participer à une expérience de croissance personnelle.

– Est-ce qu'on est stressé? Oui! a-t-elle poursuivi. Est-ce qu'on se plaint parfois? Certainement! Mais est-ce qu'on aime notre travail? Oui! On nous paie pour faire rêver les gens, pour leur permettre de se libérer, de prendre leur envol. Parfois, après avoir vu le spectacle, j'écoute les réaction des spectateurs à la sortie et je leur demande ce qu'ils en pensent. Quand on me dit «Ne me demandez pas ça maintenant, c'est trop fort!», j'ai la confirmation qu'on a atteint notre but.

Le Cirque a ses règlements, a ajouté Karine, mais entre 19 h 30 et 21 h, et entre 22 h 30 et minuit, notre travail est de toucher les gens. Je pense que ma fille aînée Céleste l'a bien compris. Le maquillage et les costumes lui avaient toujours fait peur jusqu'au soir où le lézard de *Mystère* s'est approché de nous, dans la première rangée, et lui a chuchoté à l'oreille : «N'aie pas peur!» en lui faisant un grand clin d'œil. Et maintenant elle aime ça! Elle aime aussi Gérard, le faux placier, parce qu'il lance du maïs soufflé un peu partout. Elle m'a même dit : «Je vais avoir mon propre spectacle un jour, et je vais être un clown avec un gros nez rose.» Quand on est à table, elle transforme une fourchette et une cuillère en planche-sautoir et prétend être en répétition en s'écriant : «Mesdames et messieurs! *Ladies and gentlemen!* Bienvenue au Cirque du Soleil!»

La plupart du temps, on se sent en cage, et on chante la même chanson à longueur de journée. Mais la vie ne peut pas se limiter à une cage, elle doit nous permettre de voler de nos propres ailes.

Redonner

Le lendemain soir, Cari a fait ses débuts dans KÀ. En entrant une fois de plus dans ce théâtre, j'ai compris que j'étais en train de boucler le cycle de mon aventure. J'ai parcouru le monde et je suis enfin revenu à mon point de départ.

Cari a incarné l'un des archers qui gambadent parmi le public avant le spectacle. Je crois l'avoir reconnue malgré ses tatouages et son costume, même si un masque couvrait le bas de son visage. En scrutant tous ces guerriers qui se sont avancés sur les passerelles, j'ai cru voir que l'un d'eux me faisait un clin d'œil.

Dans les coulisses, après le spectacle, Diane m'a invité à rencontrer une dernière personne. Alors je l'ai suivie le long des corridors du théâtre KÀ pour me retrouver en présence d'une jeune femme svelte, très en forme, vêtue d'un costume écarlate.

Diane me l'a présentée sous le nom de Monique, l'entraîneure en contorsion du spectacle « O ».

– Enchanté! ai-je lancé.

Diane a demandé à Monique de me raconter comment elle en était venue au Cirque.

« En Mongolie, a commencé Monique dans un français plutôt hésitant, chaque famille veut fille contorsionniste. Alors, on fait passer test de flexibilité aux bébés. À part le soccer, contorsion est notre sport national.

– C'est l'un des rares moyens de quitter leur village natal, a précisé Diane, où l'on trouve très peu de confort et de services publics.

– Beaucoup de filles travaillent fort pour être contorsionnistes, a poursuivi Monique. Chaque fille veut être la meilleure. Moi aussi j'ai travaillé très fort!

Nos entraîneurs ne crient jamais. Pas besoin, ils savent montrer qu'ils sont pas contents juste avec un œil! Ils nous prennent très jeunes et passent beaucoup de temps avec nous. Ils nous encouragent constamment, ils nous aiment beaucoup.

À neuf ans, je savais que c'était mon avenir. À 11 ans, je faisais partie du cirque et les gens m'applaudissaient. J'ai appris beaucoup dans cirque, pas contorsion, mais performance. Mon entraîneur dit : «Il faut pas penser que contorsion est un truc simple. Ils veulent voir spectacle, ils veulent voir toi, ils veulent voir artiste!»

– Et comment en êtes-vous arrivé au Cirque du Soleil? lui ai-je demandé.

–Très difficile! a dit Monique. Mongolie communiste, alors, pas possible d'aller loin. Quand mur est tombé, un rêve pour nous! Je suis allée dans cirque allemand.

Dans cirque mongol, pas de chorégraphie. Mais Cirque du Soleil, c'est un peu comme au théâtre. Je veux travailler comme ça! Mais je vieillis. Trente ans, trop vieux pour la contorsion! Alors j'ai téléphoné Diane et Cirque a aimé ce que je faisais. Mais je devais dire la vérité. Ils ne croyaient pas mon âge, mais je leur ai montré ce que je faisais et ils ont dit : «Viens!»

Je vais encore sur scène parfois, mais je suis plus souvent entraîneure. J'ai beaucoup appris au Cirque et je partage maintenant ce que j'ai appris. Je sais que danse, transitions et mouvement sont importants, comme la technique de contorsion. Je continue mon rêve en devenant meilleure athlète, artiste et entraîneure. Quand on reçoit autant que moi, on veut redonner. Quand vous voyez nos spectacles, vous voyez des artistes qui travaillent, mais qui redonnent au public ce qu'on leur a donné. Et les spectateurs le savent bien.

On a quitté le bureau des entraîneurs en repassant par le théâtre. J'ai alors remarqué un regroupement autour d'une jeune fille qui s'exerçait en coulisse. Diane m'a dit que c'était Sofia, la fille de Manny, un musicien du spectacle «O». À peine âgée de sept ans, elle faisait déjà de la contorsion. Monique a déposé un petit système de son sur la scène. Dès qu'elle en a entendu la musique, Sofia s'est tout naturellement lancée dans une combinaison de contorsions mongoles et de danse sénégalaise jusque-là inconnue du monde entier.

Le numéro de Sofia était tour à tour un rite tribal, une danse du ventre et de la gymnastique. Elle s'est déplacée sur toute la scène sans effort apparent, puis s'est immobilisée face contre terre, en position pour faire des pompes. Ensuite, elle a levé ses jambes vers l'arrière et par-dessus ses épaules, si loin qu'elle aurait pu se gratter les oreilles avec ses orteils si elle l'avait voulu. Mais ce qui avait surtout capté mon attention, c'était la chaleur de son sourire et ses yeux liquides et très expressifs. J'avais rarement vu tant de présence et de vivacité chez un être humain, alors je n'ai pu m'empêcher de lui sourire en la saluant de la main.

Mais surprise! Ses mains étaient solidement appuyées sur le plancher pour se maintenir en équilibre, mais elle m'a quand même salué en retour... avec son pied droit!

J'y ai vu l'esprit créateur du Cirque, l'étincelle créative qui crépite en chacun de nous. Une force aussi candide et puissante que le salut improvisé du petit pied d'une fillette.

Remerciements

D ans *Réveiller la créativité*, les gens du Cirque du Soleil parlent de l'importance de l'inspiration, de la collaboration et de la confiance dans toute œuvre de création. Je peux vous affirmer que les gens qui ont collaboré à l'élaboration de ce livre ont largement mis en pratique ce qu'ils prêchent, à toutes les étapes du projet.

En premier lieu, j'aimerais remercier Sarah Raimone, l'éditrice de la maison d'édition Currency Doubleday, et son éditeur en chef Roger Scholl, qui, au départ, m'ont demandé de collaborer à la rédaction de ce livre. Ensemble, ils ont réussi à combiner les expériences disparates d'une demi-douzaine d'individus pour créer un récit unique et cohérent, un défi qu'on a dit équivalent au regroupement d'une horde de chats errants, mais qu'ils ont brillamment relevé avec un aplomb et un courage à toute épreuve.

Je suis aussi reconnaissant envers mes nouveaux amis du Cirque du Soleil, qui ne m'ont pas seulement accepté, mais adopté au sein de la famille artistique la plus chaleureuse du monde.

Lyn Heward a non seulement créé ce livre, mais en a chorégraphié toute l'expérience, en me guidant tout au long de mon extraordinaire aventure. C'est aussi elle qui a eu la brillante idée de m'offrir ce pourquoi des millions d'admirateurs auraient sacrifié n'importe quoi : quelques mois d'enchantement au sein de la famille du cirque.

L'aide et les précieux conseils du génie du merchandising Rodney Landi, comme de la directrice du licensing Marie-Josée Lamy, m'ont grandement aidé dans les moments difficiles.

Geneviève Bastien et Francine Tremblay, les meilleures alliées que j'aurais pu espérer, m'ont représenté durant d'innombrables heures pour assurer le bon déroulement de mon expérience.

Louise Simoneau, l'adjointe de longue date de Lyn Heward, a servi de chaperon à des milliers de fidèles du Cirque, dont moi-même, durant quelques mois, sans que sa générosité et sa cordialité ne la quittent jamais.

Bien sûr, il m'est impossible de remercier ici les 200 personnes et plus qui m'ont aidé durant mon séjour au Cirque, mais je me ferai un devoir de les remercier toutes personnellement quand je les reverrai.

La compétence de mes amis, confidents et rapporteurs d'opinions James Tobin et John Lofy était non seulement à son zénith tout au long du projet, mais s'est maintes et maintes fois révélée indispensable.

Enfin, j'aimerais remercier mon agent David Black et son adjoint David Larabell pour ce qu'ils connaissent et savent le mieux faire, prendre soin de leurs rédacteurs.

Enfin, j'espère que vous apprécierez la lecture de ce récit autant que j'ai moi-même aimé le vivre.

John U. Bacon
Ann Harbor, Michigan, États-Unis
Novembre 2005

Table des matières

Cet ouvrage a été composé en Berling corps 11,5/14,3
et achevé d'imprimer au Canada en mars 2006
sur les presses de Quebecor World L'Éclaireur / St-Romuald.